Les Colombes
du
Roi-Soleil

© Éditions Flammarion, 2007
© Éditions Flammarion pour la présente édition, 2011
87, quai Panhard-et-Levassor – 75647 Paris cedex 13
ISBN : 978-2-0812-5853-2

ANNE-MARIE DESPLAT-DUC

Les Colombes du Roi-Soleil

Éléonore et l'alchimiste

Flammarion

1

Je m'appelle Éléonore d'Aubeterre.

Non, pas tout à fait. Mon patronyme complet est : Éléonore de Préault-Aubeterre.

C'est sous ce nom-là que j'étais connue dans la Maison Royale d'Éducation, parce qu'il a fallu produire tous les documents prouvant les quartiers de noblesse de ma famille, mais je le regrette car il me fait honte.

En effet, l'un de nos parents de la branche de Bretagne a commis une indélicatesse vis-à-vis du Roi, qui l'a précipité dans la disgrâce. Aussi mon père a-t-il choisi de tronquer notre nom afin qu'aucun amalgame ne soit possible entre eux, propriétaires de terres à Saint-Pourçain-sur-Sioule, et mon oncle, nobliau breton sans foi ni loi. J'ai entendu dire qu'il avait deux enfants, une fille prénommée Agathe et un garçon, Josselin, que je plains sincèrement car il doit être bien difficile d'être les enfants d'un traître.

Pour moi, rien de semblable.

Mes parents, quoique désargentés, nous ont élevées mes cinq sœurs et moi du mieux qu'ils l'ont pu et fort honnêtement.

Cependant, je dois bien avouer que leur drame a été de mettre au monde six filles et pas un seul garçon. Mon père a beaucoup souffert de ne point avoir de descendant mâle pour assurer la pérennité du nom et recevoir l'héritage. Pourtant, il ne s'agissait d'hériter que d'un château mal entretenu, faute de moyens, et de quelques arpents de terre...

Du temps que j'étais encore avec eux, je les ai souvent entendus se lamenter. Quelques jours avant mon départ pour Saint-Cyr, j'avais surpris cette conversation :

— Ma bonne amie, comment allons-nous réussir à établir nos filles ? disait mon père. Éléonore a obtenu une place à la Maison Royale d'Éducation. Mais les autres ? Nous n'avons pas les moyens de leur offrir une dot !

— Je le sais trop bien, soupira ma mère.

— Cela me ruine la santé de penser que non seulement nous ne leur trouverons aucun parti convenable, mais qu'aucun couvent ne les acceptera !

— Catherine est si jolie que nous pourrons peut-être la marier à un de nos amis qui fera fi de la dot.

— Oui, peut-être... Mais il reste Joséphine, Marie, Gilberte et Antoinette.

— Pour Gilberte et Antoinette, rien ne presse, elles ont cinq et quatre ans... Quant à Marie, qui va bientôt en avoir sept, il est vrai que la nature n'a point été généreuse avec elle et qu'elle n'a pas la beauté de Catherine et Joséphine... peut-être un bourgeois ou à un marchand qui...

— Vous n'y pensez pas ? Tout le pays se gausserait de nous !

— Alors, mon ami, je ne vois pas de solution, mais je vais prier pour que Dieu nous éclaire.

— Et moi, puisque Éléonore va entrer à Saint-Cyr, je vais envoyer de nouvelles demandes pour les autres, mais il serait étonnant que Mme de Maintenon accepte plusieurs demoiselles de la même famille. Enfin, on ne sait jamais. Il ne sera pas dit que je n'ai pas tout tenté pour l'établissement de nos enfants.

Cette conversation est restée gravée dans ma mémoire et je crois bien que pas un jour n'est passé à Saint-Cyr sans que je m'en souvinsse.

La séparation d'avec mes sœurs a été une épreuve. Nous étions aussi soudées que les doigts de la main. Je leur promis de ne point les oublier, de leur écrire et de leur conter par le menu tout ce que je ferais à Saint-Cyr. Elles me jurèrent de même de me faire partager la vie de la famille. J'ignorais alors que nos lettres étaient lues et que nous n'avions droit qu'à quelques courriers par an.

Les premiers mois furent difficiles, puis petit à petit je m'habituai à ma nouvelle vie et les solides liens d'amitié que je nouai avec quelques demoiselles m'aidèrent à combler ma solitude. J'appréciais surtout Isabeau, Gertrude, Henriette et Olympe, et nos conversations du soir m'étaient devenues indispensables.

Au fil des ans, j'appris, ou plutôt je devinai par quelques lignes à double sens glissées dans un courrier de Joséphine, que Catherine avait été mariée à un vicomte bossu d'une soixantaine d'années. Il était veuf pour la troisième fois et cherchait une beauté docile pour adoucir ses vieux jours. Imaginer ma sœur dans le lit de ce vieil homme m'avait ôté le sommeil pendant plusieurs nuits.

Mais j'ignorais encore le sort que le destin me réservait.

Joséphine me suppliait à mots couverts d'intervenir auprès de notre mère pour qu'elle ne subisse pas le même sort. Mais que pouvais-je faire ? Je n'avais aucun pouvoir.

Je devais avoir quinze ans lorsque Mme de Maintenon me fit appeler dans son bureau.

— Nous venons de recevoir les dossiers de vos sœurs Gilberte et Antoinette.

Mon cœur s'emballa. Allaient-elles me rejoindre ?

— Comme il se doit, ces dossiers comportent bien les extraits baptistaires, un certificat du curé de la paroisse, un certificat de l'évêque du diocèse, le mémoire détaillé des services militaires de vos père, grand-père et proches parents, ainsi que les preuves de noblesse remontant à plus de cent cinquante ans. Tout est donc parfaitement en règle.

Je souris.

— Pourtant, reprit la marquise, nous sommes obligés de refuser l'entrée de vos sœurs à Saint-Cyr.

Je me mordis les lèvres pour ne pas pleurer, tandis que Mme de Maintenon continuait son exposé :

— Nous n'avons que deux cent cinquante places et vous avez déjà l'avantage d'être dans cette maison, ce qui soulage grandement vos parents. Si des places se libèrent plus vite que prévu, Sa Majesté et moi-même étudierons à nouveau les candidatures de vos sœurs... mais pour l'instant...

Voyant ma déception, elle ajouta :

— Éléonore, vos maîtresses sont satisfaites de votre travail. Certaines personnes ont même remarqué votre tenue et votre diction lorsque vous avez joué dans *Esther* [1]. Il se pourrait que j'aie des projets pour vous.

— Pour moi, Madame ? m'étonnai-je.

— Oui, mais il est encore trop tôt pour que je vous en fasse part.

Si je n'avais pas été si naïve, certains détails auraient dû attirer mon attention sur le genre de projets qu'elle avait pour moi.

En effet, en février 1689, quelques jours après la fin des représentations d'*Esther*, j'avais été appelée au parloir avec Gertrude et, derrière les grilles de bois, nous avions aperçu un homme assez vieux.

— Tu crois qu'il vient choisir l'une de nous deux ? avais-je murmuré à l'oreille de Gertrude.

— Sûr. Et j'espère bien que ce sera moi, car je ne supporte plus de vivre enfermée.

— Et moi, j'espère que ce ne sera pas moi, car je me plais ici et je n'ai nulle envie d'être mariée à un vieux comme ma sœur Catherine.

Elle avait haussé les épaules et nous étions restées debout côte à côte de longues minutes, séparées de l'homme par une grille à travers laquelle il nous reluquait. Le faux-jour nous empêchait de le

---

1. Voir le tome 1, *Les Comédiennes de M. Racine*.

voir distinctement, mais j'avais perçu son souffle et cela m'avait mise mal à l'aise.

D'ailleurs, dès que nous avions quitté la pièce, Gertrude avait explosé :

— Il nous a examinées comme du bétail ! Du vulgaire bétail !

— Mademoiselle de Crémainville, un peu de tenue ! l'avait grondée la religieuse qui nous accompagnait.

Gertrude s'était tue, mais elle bouillait intérieurement, je le voyais aux crispations de sa mâchoire.

Peu de temps après, je fus à nouveau appelée au parloir.

L'homme que j'avais entrevu quelques années auparavant était là. Mais cette fois, j'étais seule devant lui.

— Mademoiselle, me dit-il avec un effroyable accent, je me nomme Georges von Watzdorf. Je suis baron et ambassadeur de Saxe en France. J'ai assisté à toutes les représentations d'*Esther* et je dois vous avouer que votre beauté, votre humilité et votre éducation m'ont séduit.

Je baissai pudiquement la tête. À dire vrai, j'appréhendais de le regarder en face.

— Je sais, poursuivit-il, que je n'ai rien pour inspirer l'amour à une jeune personne, mais permettez que je vous informe de tous les avantages que vous auriez en m'épousant ; après quoi, je vous laisserai libre de votre choix. Mon but, croyez-le, n'est pas de vous épouser sous la contrainte.

Je lui octroyai un petit souri [1] crispé. Allons, il n'était point méchant. Voyons la suite.

— Je suis veuf sans enfant, et cela est un drame pour moi. Aussi, si vous me donnez un fils, ma générosité n'aura point de limite car, sans vouloir me vanter, j'ai du bien, une maison [2] confortable à Dresde, des terres, et, à mon décès, tout cela sera à vous et à mon fils. Nous signerons évidemment un contrat devant notaire.

J'eus soudain la même réaction que Gertrude. Cet homme cherchait à m'acheter... comme... comme une marchandise. La honte me rougit le front et j'affirmai :

— L'argent ne m'intéresse point, monsieur.

— C'est tout à votre honneur, mademoiselle. Cependant, Mme de Maintenon m'a informé que vous aviez cinq sœurs que vos parents ne pouvaient doter par la faute d'un revers de fortune. Eh bien, si vous m'épousez, je m'engage à les doter afin qu'elles trouvent un parti à leur convenance.

— Ah, monsieur... bredouillai-je, votre proposition me touche.

---

1. Sourire.
2. Les nobles ne parlaient pas de leur « château », mais de leur « maison » ou « demeure ». Ici, il faut lire « château ».

— Mme de Maintenon, qui est une de mes chères amies, m'a promis de donner votre place à Saint-Cyr à votre plus jeune sœur... Antoinette ? C'est cela ?

— Oui, Antoinette. Elle a huit ans à présent.

— Et sur mon insistance, elle accepte aussi d'accueillir Gilberte.

— Gilberte, aussi, répétai-je.

— Ainsi, voyez donc tous les avantages que vous retireriez pour votre famille en acceptant notre union.

Une sorte de vertige me saisit et les larmes me montèrent aux yeux.

Avais-je le droit de refuser ? En me sacrifiant, je sauvais mes sœurs. Et puis je n'étais pas la seule à devoir épouser un homme sans l'avoir choisi. C'était même le contraire qui était l'exception. Mme de Caylus, la jeune nièce de Madame, avait bien été contrainte d'épouser un homme vil et brutal : c'est elle qui nous avait conté son déplorable mariage lorsqu'elle était venue à Saint-Cyr jouer *Esther* avec nous.

— Je... je vais y réfléchir, monsieur, soufflai-je.

— Point trop longtemps, mademoiselle, car je quitte Versailles pour la Saxe sous peu. C'est un pays magnifique et je ferai tout mon possible pour que vous y soyez à l'aise.

Au sortir de cet entretien, Mme de Maintenon m'appela dans son bureau et me réitéra les propositions de M. von Watzdorf.

— Il s'agit d'une chance pour vous, Éléonore. Non seulement vous acquérez une position sociale inespérée, mais le baron a la grande bonté de doter deux de vos sœurs et, afin de lui être agréable, j'accepte de prendre à Saint-Cyr Antoinette et Gilberte dont les dossiers étaient en attente.

J'étais complètement assommée par ce qui m'arrivait. Je ne m'étais pas attendue à devoir prendre une décision si rapide. J'aurais aimé réfléchir. On ne m'en laissait pas le temps. Je m'entendis murmurer :

— Je... je vous remercie, Madame.

— À la bonne heure ! s'exclama Mme de Maintenon. Je vais vitement annoncer la bonne nouvelle à ce cher baron. Il sera si heureux ! C'est un homme charmant.

Je restai prostrée. Incapable de réagir.

— Inutile de retourner dans votre classe, sauf si vous voulez dire adieu à vos amies.

Cette phrase me tira un peu de ma torpeur.

— Oui, s'il vous plaît, j'aimerais leur dire adieu.

Et c'est ainsi que, accompagnée de la mère supérieure, j'entrai dans la classe, où j'annonçai à mes camarades d'une voix que je m'efforçai de rendre ferme :

— Mme de Maintenon a eu la grande bonté de me proposer un établissement qui comble mes vœux et j'aurais été bien inconsciente de le refuser...

Je vis leurs yeux s'agrandir de stupéfaction mais je ne m'arrêtai point pour que mon courage ne s'envole pas.

— ... Je regrette seulement de quitter cette maison à qui je dois tout et aussi je regrette de quitter de si chères amies.

Isabeau vint vers moi et me serra la main, que je retirai vite afin de ne pas m'attendrir.

— Adieu, je ne vous oublierai pas, dis-je avant de franchir la porte.

CHAPITRE

2

Une calèche aux armoiries du baron m'attendait devant le perron.

Dès que je fus assise, le cocher fouetta. Je me retournai pour voir disparaître cette maison où j'avais été heureuse et où je laissais mes amies. Je fis un effort pour retenir mes larmes. Je refusais que la nostalgie m'envahît car il me semblait que j'avais fait le bon choix pour rendre l'honneur à ma famille, à défaut de me donner le bonheur.

L'angoisse pourtant me serrait la gorge : je ne savais même pas où j'allais !

Pas très loin en vérité. Après avoir franchi un majestueux portail et une allée plantée de tilleuls, la voiture s'arrêta devant un imposant bâtiment.

Lorsqu'un valet ouvrit la portière, j'aperçus les domestiques sur le perron et le baron qui s'avançait vers moi pour m'aider à descendre. Qu'un homme de son rang et de son âge fît preuve d'une telle courtoisie à mon égard me gêna mais je n'en laissai rien paraître.

Le personnel de sa maison (vêtu d'une livrée gris sombre galonnée de bleu, les couleurs du baron) me faisait une haie d'honneur sur les marches.

— Je vous présente Éléonore d'Aubeterre, annonça-t-il. Elle a été élevée à la Maison Royale d'Éducation. Elle sera bientôt mon épouse et je vous recommande de la servir aussi bien que moi.

Je savais gré au baron de signaler que je venais de Saint-Cyr. Je jugeais que cela imposait un minimum de respect et signifiait que je n'étais pas une vulgaire gourgandine.

— Bienvenue dans votre maison, me dit un homme en s'inclinant profondément.

— Voici Pierre Lachaise, mon premier valet, vous pouvez compter sur lui. Et voici Mme de Réaumont, que je viens d'engager pour diriger votre maison, et Mlle de Saint-Cassien, qui sera votre demoiselle de compagnie.

Les deux nommées avaient fait un pas en avant, puis avaient plongé dans une profonde révérence.

Une demoiselle de compagnie, pour moi ! J'étais étonnée d'être reçue avec autant d'éclat. Que devais-je faire ? Leur tendre la main ? Leur dire un mot aimable ? Nos maîtresses ne nous avaient pas inculqué l'art de se conduire avec les domestiques. Après une seconde d'hésitation, je lâchai :

— Heureuse de vous rencontrer.

Mlle de Saint-Cassien me décocha un charmant souris. Elle me parut avoir mon âge. Mais alors que j'étais brune aux yeux noirs, elle était blonde, avec une peau diaphane et des yeux bleus rieurs. Elle me plut immédiatement. Mme de Réaumont avait un visage sévère et un embonpoint important qu'augmentait encore l'ampleur de ses jupes.

— Mme de Réaumont va vous accompagner dans vos appartements, me dit M. von Watzdorf. Nous nous reverrons au dîner.

Les domestiques se dispersèrent et je suivis Mme de Réaumont et Mlle de Saint-Cassien. Nous gravîmes un imposant escalier de pierre, puis nous tournâmes à main droite et nous traversâmes deux salons avant que, poussant une porte à deux battants, Mme de Réaumont m'annonce :

— Vous voici chez vous, Madame. Votre appartement se compose de deux salons : le salon des fleurs et le salon bleu, puis d'une antichambre, d'une chambre et d'une garde-robe.

Je visitai les pièces. Je ne voulus pas montrer ma stupéfaction ni mon admiration pour les tapisseries, les tableaux ornant les murs, les meubles et les soies des tentures, mais tout ce luxe m'éblouissait. J'avais l'impression de rêver... Je n'en revenais pas : je déambulais dans ces pièces somptueuses et j'étais chez moi... enfin, chez le baron...

Je n'étais pas au bout de mes surprises. Mme de Réaumont ouvrit les portes de la garde-robe et je vis là quantité de jupes chatoyantes, de capes suspendues, de malles ouvertes sur des jupons, des bas, des corps [1], des chaussures alignées sur une étagère, des ombrelles et quelques chapeaux aussi.

— Monsieur a fait livrer pour vous une garde-robe complète, m'annonça-t-elle.

Je caressai du bout des doigts les étoffes de soie, les dentelles, les broderies, touchant les chaussures, soulevant un jupon brodé.

— Tout cela est beaucoup trop beau, murmurai-je.

— C'est que Monsieur veut que vous lui fassiez honneur, m'assura Mme de Réaumont d'un ton pincé.

Elle devait trouver le baron trop généreux à mon égard.

— Je vais faire préparer un bain chaud, je vous laisse avec Sophie découvrir tout ce que Monsieur a eu la grande bonté d'acheter pour vous.

---

1. Corsets.

Voilà, je ne m'étais pas trompée sur les sentiments de Mme de Réaumont.

Dès qu'elle eut tourné les talons, Sophie me dit :

— Je suis certaine que tout va vous aller à ravir !

— Comment donc M. von Watzdorf a-t-il connu mes mensurations ?

Sophie éclata d'un petit rire frais et ajouta :

— Oh, Monsieur a une grande habitude des dames !

Puis, se rendant sans doute compte de ce que cette phrase avait d'offensant pour moi, elle se rattrapa :

— Enfin... ce ne sont que des rumeurs... je voulais dire qu'il connaît les femmes et que... enfin, il a du succès à la cour et...

Elle s'embrouillait dans ses explications et j'étais tellement interloquée de découvrir que ce vieil homme contrefait pouvait plaire aux dames que je restai muette.

— Oh, Madame, je vous demande pardon si je vous ai fâchée, ce n'était point du tout mon intention et...

— Je ne suis pas fâchée, Sophie, étonnée seulement.

— Je l'ai été aussi lorsque je suis sortie du couvent où mes parents m'avaient placée pour faire mon éducation, mais j'ai vécu deux ans à la cour comme demoiselle d'honneur de la dauphine

Marie-Anne et j'y ai appris beaucoup de choses. Lorsqu'elle est morte en avril, j'ai énormément pleuré. M. von Watzdorf m'a engagée et j'en suis bien contente parce que c'est un bon maître. Maintenant je souhaite vous servir du mieux que je le pourrai.

Je souris aux confidences de Sophie. Dès cet instant, il me sembla que nous allions bien nous entendre et je le lui dis. Ce à quoi elle me répondit :

— Oh, Madame, rien ne pourrait me faire plus de plaisir !

— Voyons donc toutes ces belles choses qui me sont destinées...

Sophie déplia des bustiers bordés de fils d'or et d'argent, me fit tâter des jupes de soie et me montra tout particulièrement une toile d'indienne qui, m'assura-t-elle, était alors l'étoffe qui faisait fureur à la cour. Elle me proposa de l'essayer et j'avoue que je me laissai tenter. Elle était en train de lacer mon bustier en riant car elle venait de me conter une anecdote amusante sur une sucrée [1] de la cour, lorsque Mme de Réaumont revint.

— Votre bain est prêt, Madame, grogna-t-elle en fronçant les sourcils. Il ne faudrait pas vous mettre en retard. Monsieur aime la ponctualité.

Elle se tourna ensuite vers Sophie et la gronda :

1. Personne mijaurée, maniérée.

— N'oubliez pas, mademoiselle, que vous êtes engagée pour faire la lecture et tenir compagnie à Madame et non pour la saouler par votre bavardage.

— N'ayez crainte, Sophie me donne entière satisfaction, répliquai-je.

Je me glissai avec délices dans le baquet d'eau fumante. Une servante voulut me savonner, je la repoussai. Je n'étais point habituée à ce que l'on s'occupât ainsi de moi et, par pudeur, je préférais me laver seule. Elle se tint pourtant à quelques pas de moi et m'enveloppa d'un drap dès que je sortis, après quoi, elle voulut me masser le corps d'une huile parfumée. Je la repoussai encore. Peut-être avait-elle reçu des ordres de son maître afin que je fusse appétissante lorsqu'il m'appellerait dans son lit ? Eh bien, tant pis pour lui ! Et s'il croyait m'acheter avec des robes et des parfums, il en serait pour ses frais ! Qu'il m'épouse d'abord devant Dieu, ensuite, je ne pourrais pas me refuser à lui. Pour l'instant, il était hors de question qu'il me touche et j'avais bien l'intention de le lui faire comprendre !

— Ce soir, Monsieur reçoit du beau monde. Il veut vous présenter. Il a souhaité que vous portiez la robe de soie bleue, le plastron d'estomac rebrodé d'argent et le bustier avec les manches en dentelle de France.

Cela me gêna qu'on ne me demandât pas mon avis. J'aurais aimé hésiter, essayer plusieurs tenues, choisir... mais non, on décidait à ma place. Ce mouvement d'humeur dura peu, car j'étais encore fort peu habituée à la liberté !

Sophie m'aida à me vêtir. Une chambrière examina ensuite mon visage avec attention, le tournant vers la lumière qui entrait par la fenêtre, elle conclut :

— La peau est belle et sans taches. En revanche, la chevelure... Grand Dieu ! que voulez-vous que je fasse avec des cheveux aussi raides ?

— C'est qu'il y a longtemps qu'ils n'ont pas été bouclés et nous n'avions plus l'autorisation ni de les poudrer ni de les parfumer, m'excusai-je.

— Vous avez des doigts de fée, Jeannette, intervint Mme de Réaumont, et vous allez agir au mieux pour satisfaire Monsieur.

Jeannette soupira et s'attela à la tâche.

Elle commença par m'appliquer sur le visage une crème blanche, me colla une mouche sur le dessus de la lèvre, voulut m'en poser une sous l'œil droit et une autre sur la joue. Mais je l'arrêtai.

— S'il vous plaît, je ne suis pas habituée à tous ces artifices.

— C'est qu'il le faut pour être dans le ton, m'expliqua la chambrière.

— Alors une seule suffira.

— Comme Madame voudra, souffla-t-elle.

Elle me rosit les joues, les lèvres, m'entoura d'un voile de poudre qui me fit tousser et m'aspergea d'une eau de senteur au muguet beaucoup trop forte. Mais cette fois je ne dis rien.

Sans perdre une minute, elle s'attaqua à ma coiffure. Le fer rougi dans une main, le peigne dans l'autre, des épingles aux lèvres, tirant, tournant, remontant, lissant, frisant, grognant, s'énervant, recommençant, elle prit possession de ma tête. Trois heures plus tard, de belles boucles maintenues par d'innombrables rubans, peignes d'écaille et perles remontaient sur ma nuque alors que quelques mèches délicatement ondulées m'encadraient le visage. Elle poudra abondamment le tout et, fière de son travail, elle me tendit un miroir.

Je ne me reconnus pas.

— Vrai, c'est bien moi ?

Sophie éclata de rire et Jeannette, les joues rougies par l'effort, me dit :

— Vous voilà transformée en véritable baronne, mais ça n'a pas été sans peine.

— Je vous remercie, Jeannette, vous avez fait des merveilles !

Satisfaite, elle quitta la pièce.

Mme de Réaumont jeta un regard anxieux à la pendule de bronze qui ornait la cheminée et me houspilla :

— Vite, Madame, il faut mettre votre jupe. J'espère qu'elle ne sera point trop longue, parce que nous n'aurons pas le temps de refaire l'ourlet.

— Pas de danger ! Je l'ai essayée et nous avons la même taille ! m'assura Sophie.

Ainsi, la coquine avait dû s'amuser à passer toutes mes jupes !

Comprenant qu'elle s'était trahie, elle ajouta à mon intention :

— C'est Monsieur qui l'a exigé afin que tout soit prêt pour ce soir.

— Vous avez eu raison !

L'anxiété qui, un instant, avait voilé son regard se dissipa aussitôt, et elle me sourit à nouveau.

À ce moment-là, M. von Watzdorf entra dans la pièce. Je me levai. Il s'arrêta à quelques pas de moi et, d'un geste discret, ordonna aux dames présentes de sortir. Il me regarda intensément et s'exclama :

— Dieu que vous êtes belle !

Le compliment me fit rougir.

— Je... je vous remercie, monsieur, pour toutes les jolies tenues que vous mettez à ma disposition.

— Vous plaisent-elles au moins ?

— Je n'en ai jamais eu de si belles !

— Je ne connaissais point vos goûts. C'est une amie qui a guidé mon choix. Mais lorsque nous serons en Saxe, vous ferez appeler les meilleurs tailleurs, les meilleures modistes, les meilleures couturières pour vous servir.

— Oh, je n'ai pas besoin de tant de choses...

— Je sais le prix de ce que je vous demande et je veux que les quelques années que vous allez vivre à mon côté vous soient douces.

En disant cela, il s'était approché de moi. Je crus qu'il allait m'enlacer. Tout mon corps se raidit.

Il tira alors d'une des poches de son habit une bourse de velours, en desserra les liens et en sortit une parure de diamants et de saphirs taillés en poire qu'il me passa au cou.

— Voilà pourquoi je voulais que vous portiez cette robe bleue, me susurra-t-il.

Je restai plantée devant lui, incapable de bouger. Le contact des pierres précieuses sur ma peau me brûlait. Jamais je n'aurais pu imaginer porter un jour semblable bijou. Mais je n'arrivais point à savoir si cela me plaisait ou si cela me gênait abominablement. Je penchai pourtant pour la deuxième solution car une voix murmurait à l'intérieur de moi : « Il t'achète... cher... mais il t'achète. »

M. von Watzdorf fit mine de ne pas voir mon trouble. Il me tendit son poing et j'y posai ma main.

— Venez, me dit-il, je vais vous présenter à mes amis. Tous rêvent de vous rencontrer.

3

Au matin, je m'éveillai dans le vaste lit où j'avais dormi seule. Je m'étirai et soupirai de bien-être en me remémorant la soirée.

J'en avais été la reine et c'était si nouveau pour moi que longtemps, je crois, alors que je cherchais le sommeil, un vague sourire avait flotté sur mes lèvres.

M. von Watzdorf ne m'avait point menti. Il n'avait invité que des gens de qualité, qui n'étaient là que pour me voir. Lorsqu'il avait prononcé leurs noms, j'avais cru défaillir d'émotion à la pensée que j'allais dîner en leur compagnie.

Il s'était adressé, tout d'abord, à un vieil homme maigre :

— Monsieur de La Fontaine, j'ai plaisir à vous présenter Éléonore d'Aubeterre, ma future épouse.

J'avais écarquillé grand les yeux. Jean de La Fontaine ! Celui dont j'avais appris des fables à Saint-Cyr ! Ne sachant quelle contenance prendre, je lui avais fait une petite révérence.

— Mon cher, avait plaisanté le fabuliste, si j'avais vingt ans de moins, il m'aurait plu d'essayer de vous ravir une si belle enfant !

— Voyons, Jean, avait grondé le baron en tapant affectueusement l'épaule de son ami, abandonnez donc les grivoiseries, vous savez que je préfère mille fois vos fables à vos contes coquins !

La Fontaine avait souri de sa bouche édentée.

Le baron s'était alors tourné vers un homme que je reconnus immédiatement. Son visage sévère me fit comprendre qu'il n'appréciait pas la légèreté de La Fontaine.

— Monsieur Racine... avait poursuivi le baron.

Le rencontrer en dehors du théâtre était fort déconcertant.

— Vous avez été une excellente comédienne dans *Esther*, m'avait complimentée le dramaturge.

— Je... je vous remercie, monsieur, avais-je bredouillé. C'était un tel honneur de jouer une de vos œuvres.

Le baron m'avait aussi présenté quelques dames, dont la richesse des tenues m'avait éblouie ; je n'ai pas pour autant retenu leurs noms.

Je ne puis pas dire que la soirée fut agréable, j'étais trop angoissée à l'idée de laisser tomber ma fourchette ou de m'étouffer en mangeant.

J'avais écouté les conversations sans y prendre part de peur de paraître ignorante et, lorsqu'on m'avait interrogée par politesse sur un sujet, j'avais répondu le plus brièvement possible.

M. von Watzdorf m'avait excusée auprès de ses hôtes :

— Mlle d'Aubeterre ne manque point d'esprit, mais la timidité l'empêche de s'exprimer. Je gage que d'ici quelques mois, lorsqu'elle aura pris l'air de la cour, sa conversation sera aussi brillante que celle de Mme de Sévigné... la jeunesse en plus !

L'assemblée s'était esclaffée à ce bon mot qui, moi, me mit mal à l'aise.

Je m'étirai à nouveau en bâillant. L'existence avec M. von Watzdorf ne serait peut-être pas aussi pénible que je l'avais imaginé. C'était un homme cultivé, attentionné, généreux et respectueux de ma personne. Il m'avait promis de ne point me toucher avant le mariage et il tenait parole. Il attendait avec une certaine impatience de recevoir l'accord de mon père pour procéder à la cérémonie.

Mme de Réaumont entra dans la chambre, ouvrit les volets de bois et tira les rideaux de mon lit.

— Bonjour, Madame, me dit-elle, M. von Poellnitz est dans l'antichambre. Dois-je le faire entrer ?

— Maintenant ? Mais je... je ne suis pas prête...

Je savais qu'il était d'usage que les dames reçoivent dans leur lit, mais je n'y étais point accoutumée.

— C'est qu'il est dix heures, Madame. Monsieur n'a point voulu que je vous réveille, mais M. von Poellnitz est arrivé avant neuf heures et il serait impoli de ne pas le recevoir.

— Mais enfin, qui est ce monsieur et que veut-il ?

— C'est votre professeur d'allemand.

— Déjà !

— Oui, Monsieur le baron doit rentrer prochainement dans son pays et il souhaite que vous parliez bien sa langue.

Cette phrase me ramena à la réalité. J'allais devoir quitter Versailles, quitter la France... vivre dans un pays inconnu, et cela m'attrista.

Je me levai et priai dans la ruelle [1] de mon lit.

Sophie entra bientôt, suivie d'une soubrette qui tenait à deux mains une jupe de soie verte et un bustier assorti. Une autre portait sur un plateau un morceau de brioche, une pomme coupée en

1. Espace entre le lit et le mur.

quartiers et un verre d'eau. La brioche en plus, c'est ce que nous mangions à Saint-Cyr le matin.

Tandis que Sophie laçait mon corps, je l'interrogeai :

— Comment est-il ?

— Vieux.

— Vieux comment ? insistai-je.

— Comme Monsieur, me chuchota-t-elle au creux de l'oreille.

Puis elle ajouta, mutine :

— C'est que vous êtes si jolie qu'il a sans doute peur qu'un jeune homme tombe amoureux de vous et vous enlève avant le mariage !

Je la grondai :

— Voyons, Sophie, cessez de dire des bêtises.

Elle rit et ajouta :

— Savez-vous à qui l'on vous compare à l'office ?

— Non, et cela m'importe peu.

— Je vais quand même vous l'apprendre. À Mme de Maintenon, qui, alors qu'elle avait votre âge, fut contrainte d'épouser Scarron, un poète cul-de-jatte et laid à faire peur [1].

---

1. Françoise d'Aubigné, qui n'avait aucune dot, avait été mariée à 16 ans, le 4 avril 1652, à Paul Scarron, un poète de 42 ans, cul-de-jatte, laid et sans fortune. Veuve en 1660, elle avait fait son entrée à la cour, et avait été nommée gouvernante des enfants de Mme de Montespan. Elle épousa en secret Louis XIV le 9 octobre 1683.

— Ah, oui ? répondis-je, flattée par la comparaison.

— En fin de compte, cela lui a plutôt bien réussi puisqu'elle est à présent l'épouse de notre Roi. Et je vous souhaite le même destin.

À mon tour, je ris.

— Oh, je ne le voudrais point ! Être reine n'est pas de tout repos. Souhaitez-moi une vie calme et douce, et ce sera suffisant.

La cámeriste terminait de me coiffer, lorsque Mme de Réaumont entra à nouveau dans la pièce. Me voyant en train de rire avec Sophie, elle s'énerva :

— Mademoiselle de Saint-Cassien, vos bavardages mettent Madame en retard et M. von Poellnitz s'impatiente.

— Je suis prête, coupai-je. Faites entrer ce monsieur dans le petit salon bleu.

Lorsque j'y arrivai, Mme de Réaumont était en grande conversation avec M. von Poellnitz. Il s'avança vers moi pour me saluer et me dit dans un français au fort accent germanique :

— Je suis enchanté de faire votre connaissance, Madame, et très honoré d'être votre professeur.

Je crus que Mme de Réaumont allait se retirer, mais elle m'annonça :

— M. von Watzdorf souhaite que je sois présente pendant la leçon.

M. von Poellnitz claqua les talons pour marquer son acceptation. J'examinai mon professeur à la dérobée. Il devait avoir une cinquantaine d'années. Il était grand et sec. Son visage ridé et marqué par la petite vérole s'éclairait d'incroyables yeux d'un bleu transparent. Il avait, ma foi, encore fière allure.

Je désignai à mon professeur l'un des deux fauteuils placés devant la cheminée et je pris place dans l'autre.

Mme de Réaumont s'installa un peu plus loin sur un ployant [1] et commença à broder un ouvrage qu'elle avait apporté, mais, à plusieurs reprises, je surpris son regard posé sur M. von Poellnitz. Se pouvait-il qu'elle le trouvât à son goût ? Pourquoi pas, après tout. Je ne connaissais rien de sa vie et j'ignorais si elle était mariée, célibataire ou veuve.

La première leçon se borna à des phrases, des mots que M. von Poellnitz prononça et m'invita à répéter après m'en avoir donné le sens. C'était abominablement difficile. Cette langue gutturale n'avait rien à voir avec la douceur du latin et du français et, plusieurs fois, le professeur me reprit :

— Plus fermes les consonnes ! Chez nous, elles frappent, elles claironnent !

1. Siège pliant.

Je m'y appliquai le mieux possible. Car j'avoue que j'étais terrorisée à l'idée de vivre dans un pays sans en comprendre la langue.

Il me sembla que Mme de Réaumont faisait les mêmes exercices que moi à voix basse. À un moment où j'étais particulièrement découragée par la prononciation d'un mot, nous échangeâmes un regard. Elle plongea vitement le nez sur son ouvrage, mais je compris qu'elle aussi s'essayait à apprendre la langue germanique.

Depuis ce jour-là, je passai donc deux longues heures tous les matins avec M. von Poellnitz. À force de travail, il me fut bientôt possible de prononcer plusieurs phrases en allemand et c'est rose d'émotion que je pus dire à M. von Watzdorf alors qu'il partait pour ses affaires à Versailles :

— *Auf wiedersehen, Herr, und guten Tag.* [1]

Sans doute heureux de constater mes progrès, il serra mes mains dans les siennes.

— Je ne me suis point trompé en vous choisissant. Vous êtes vraiment la femme qu'il me fallait, et je vous promets que, vous non plus, vous ne regretterez pas de m'avoir épousé.

— J'essaie de vous donner satisfaction, monsieur, vous êtes si bon et généreux.

---

1. « Au revoir, monsieur, et bonne journée. »

Il me caressa la joue de son doigt (c'était le premier geste tendre qu'il se permettait) et ajouta :

— Éléonore, ne m'appelez plus monsieur, appelez-moi Georges.

Je rougis. Il me paraissait impossible de l'appeler autrement que « monsieur », car il ne m'était rien. Il était attentionné, prévenant, mais cela n'éveillait en moi aucun sentiment.

— Cet après-dîner [1], vous irez avec Mme de Réaumont choisir vos tenues pour le voyage, poursuivit-il.

— Partons-nous bientôt ?

— Dans quelques jours. Une importante affaire m'oblige à rentrer à Dresde plus tôt que prévu.

— Et... notre mariage ?

— Votre père n'a point encore répondu à ma demande. Il paraît qu'à la suite d'un vœu pieux, il est parti en pèlerinage à Saint-Jacques-de-Compostelle. C'est tout à son honneur, mais cela retarde notre union. Aussi, je vais, de ce pas, solliciter auprès de Sa Majesté l'autorisation de vous emmener avec moi. Nous nous marierons à Dresde aussi bien qu'ici, n'est-ce pas ?

La nouvelle de notre départ m'assomma.

Je m'étais habituée à cette existence entre l'étude du matin, l'oisiveté de l'après-dîner pendant lequel

---

1. Après-midi.

je rêvais, lisais et bavardais avec Sophie. C'était si nouveau pour moi d'être maîtresse de mon temps, de n'avoir personne pour me donner des ordres — mais au contraire d'avoir à en donner —, que je goûtais chaque minute.

Je voyais fort peu le baron. Il venait me saluer le matin, puis il sortait. Parfois, nous soupions avec quelques personnes qu'il avait invitées et, deux ou trois fois, nous fûmes invités à notre tour chez des amis à lui, où il me présenta avec fierté. Mais, la plupart du temps, je ne le voyais pas de la journée. Sophie me révéla un jour que le baron était bien en vue à la cour et qu'il assistait à toutes les soirées d'appartement [1] où il jouait beaucoup et fort tard dans la nuit.

Je profitais ainsi de tous les avantages de vivre avec un homme riche, cultivé et apprécié, sans en avoir aucun des inconvénients puisque jamais il n'était venu me rejoindre dans mon lit. Cela me convenait fort bien. De plus, j'étais à Versailles, à côté de Saint-Cyr. Savoir ce lieu où j'avais grandi et où j'avais des amies si proche m'était d'un précieux réconfort. Je me disais naïvement qu'en cas de problème je pourrais m'y réfugier.

À présent, il me fallait m'en éloigner. En aurais-je la force ?

1. Les soirées d'appartement avaient lieu trois fois par semaine dans le Grand Appartement. La cour était invitée à se divertir : jeux, danses, collation.

4

L e Roi donna son accord et nous partîmes.

Nous, c'est-à-dire : le baron et moi.

Mme de Réaumont et Sophie de Saint-Cassien ne furent pas du voyage.

Attristée par cette séparation, j'en demandai fort poliment les raisons au baron.

— À Dresde, tout le personnel est déjà en place pour vous bien servir, me répondit-il. Vous aurez deux ou trois demoiselles de compagnie et vous pourrez même en choisir d'autres.

— Mais... elles seront allemandes, et j'aurais aimé garder Sophie et Mme de Réaumont avec moi pour que nous puissions parler de la France.

— Vous en parlerez avec moi, ma mie. Et puis la France n'est pas si loin et je ne vous retiendrai pas prisonnière. Vous pourrez, à votre guise, rendre visite à votre famille et à vos amies ou les inviter dans notre demeure.

En quelques phrases, il balaya mes soucis.

Je dis donc au revoir à Mme de Réaumont et à Sophie.

— Il se peut bien, Madame, que nous nous revoyions à Dresde, m'annonça la première.

— Ah ? m'étonnai-je.

— Oui. M. von Poellnitz est veuf et il cherche quelqu'un pour l'éducation de ses enfants.

— J'en suis heureuse pour vous. Alors peut-être à bientôt.

Sophie pleura à chaudes larmes sur mon épaule.

— Jamais je ne retrouverai une aussi bonne maison que la vôtre... et je vous aimais tant !

— Moi aussi, Sophie, je vous aimais bien. Mais ne vous inquiétez pas pour votre situation, M. von Watzdorf a parlé de vous à Mme d'Aulnoy, elle devrait vous prendre sous peu à son service.

— Oh, merci, Madame !

— C'est Monsieur le baron qu'il faut remercier.

— Vrai, vous avez de la chance d'épouser un homme tel que lui. Il est la bonté même !

Elle avait raison.

Deux jours plus tard, nous étions sur les routes.

J'avais imaginé que notre carrosse serait précédé par un grand nombre de chariots transportant les meubles, les tentures, les tableaux, les lits et tous nos effets. En fait, nous voyageâmes tous les deux dans une voiture à quatre chevaux avec pour tout équipage un cochet et deux valets. M. von Watzdorf m'expliqua :

— J'ai donné des ordres pour que tout soit soigneusement emballé et transporté jusqu'à Dresde. Je n'aime m'encombrer ni de bagages ni de domestiques.

Avec le recul, je m'étonne que ces dispositions ne m'aient pas mis la puce à l'oreille.

Tout le jour, nous étions dans la voiture, cahotés par les soubresauts des chemins. M. von Watzdorf parlait peu. Il somnolait. Parfois, le visage tourné vers l'ouverture de la portière, il poussait d'énormes soupirs.

— Quelque chose vous tourmente ? m'inquiétai-je.

— Rien d'important.

Il me prit la main et la serra en me souriant ; pourtant, il me parut que son sourire cachait une grande détresse. J'aurais bien voulu en connaître la cause, mais puisqu'il avait répondu évasivement à ma question, c'était que cela ne me concernait pas.

— Récitez-moi plutôt quelques fables de M. de La Fontaine, me proposa-t-il. Vous avez une diction parfaite, et j'aime votre voix.

Je lui récitai *Le Loup et l'Agneau*, *Le Rat des villes et le Rat des champs* et d'autres que j'avais apprises à Saint-Cyr dans la classe verte. Il voulut ensuite que je lui récite quelques poèmes allemands. J'eus plus de mal, mais, pour le satisfaire, je m'y appliquai. D'ailleurs, il m'en félicita :

— Vous parlez bien cette langue, et la pointe d'accent français qui vous reste est absolument délicieuse.

Le soir, les reins moulus, la tête pleine des grincements des essieux, les vêtements poussiéreux, nous descendions dans une auberge pour dîner et dormir.

J'avais cru que M. von Watzdorf choisirait les meilleurs établissements dans les quartiers les plus agréables des villes que nous traversions. Il n'en fut rien. Nous logions dans des auberges de mauvaise qualité. Les lits que l'on nous proposait étaient sales et les matelas infestés de vermine. Je dormais souvent tout habillée et assise sur une chaise.

— Ah, ma mie, s'excusa-t-il, je suis marri de devoir vous imposer de si piètres conditions de voyage... mais un homme peu scrupuleux à qui j'avais prêté beaucoup d'argent l'a perdu au jeu. Aussi, je me trouve dans une situation délicate qui m'oblige à faire très attention au contenu de ma bourse, le temps, bien entendu, que nous arrivions à Dresde.

— Oh, m'indignai-je, il est vraiment honteux que ce monsieur ait abusé de votre confiance !

— Hélas, gémit-il.

— Ne vous tracassez pas pour moi. Je n'ai pas été habituée au luxe et je sais me contenter de ce que le sort me réserve.

— Voilà de sages paroles !

Dans la voiture, je tâchai de le distraire de ses soucis. Je lui récitai en partie *Esther* et *Athalie* et je lui contai mon existence dans la Maison Royale d'Éducation. Il se plut, quant à lui, à me narrer certaines anecdotes qui avaient eu lieu à Versailles, à me parler de ses amis La Fontaine et Racine, et, surtout, il me décrivit avec amour son pays : la Saxe.

— Notre prince électeur Jean-Georges IV [1] est sur le trône de Saxe depuis 1691. Son frère Frédéric-Auguste a effectué plusieurs séjours à Versailles. Savez-vous qu'il est cousin du Roi Louis, cousin de la duchesse de Bavière, la Dauphine, et de la princesse Palatine ? Il a été très apprécié à la cour, car, comme moi, il aime tout ce qui est français.

---

1. Jean-Georges IV de Saxe (1668-1694). Il devint électeur de Saxe à la mort de son père, le 12 septembre 1691.

— Je l'ignorais. Ainsi, j'aurai l'impression qu'un peu de France est à Dresde.

— Dresde est une ville magnifique. Je suis certain qu'elle vous plaira.

À force de bavarder, une sorte d'amitié naquit en moi pour cet homme que j'avais si peu vu depuis qu'il m'avait arrachée de Saint-Cyr. J'aimais sa conversation, sa douceur, et le souci qu'il prenait de mon bien-être. Jamais nous n'avions été si proches que dans cette calèche qui roulait vers la Saxe.

Un jour, je me risquai même à lui demander :

— Monsieur... euh, Georges, rectifiai-je (car je savais lui faire plaisir en l'appelant par son prénom), pensez-vous toujours à doter mes sœurs ?

— Évidemment. Lorsque votre père sera revenu de Compostelle et qu'il m'aura donné son accord pour notre union, je lui ferai porter l'argent afin que ces demoiselles puissent prétendre à un bon parti.

— Je vous remercie.

— C'est ce dont nous étions convenus. Quant aux plus jeunes — Gilberte et Antoinette, je crois ? —, je ferai un courrier à Mme de Maintenon pour accélérer leur entrée à Saint-Cyr.

Tant de bonté m'émut aux larmes.

Un matin, M. von Watzdorf se plaignit de douleurs dans la poitrine et commença à tousser. Notre conversation s'en trouva écourtée, car dès qu'il parlait trop longuement une quinte de toux le secouait.

— Ce n'est rien, me rassura-t-il. Une fois chez moi, un médecin me saignera et tout rentrera dans l'ordre.

Je ne m'inquiétai donc point et, pour lui éviter de parler, c'est moi qui bavardai. Parfois il s'assoupissait et, respectant sa fatigue, je me taisais et regardais défiler le paysage en soulevant le rideau de cuir qui occultait la fenêtre de la portière. La campagne allemande me parut beaucoup ressembler à celle de mon Limousin, du moins pour ce que j'en voyais.

Enfin, après dix jours d'un voyage épuisant, nous approchâmes de Dresde.

Alors que nous aurions pu, sans peine, y entrer avant la nuit, le baron exigea que le cocher fasse halte dans une auberge de Meissen, petite ville à trois lieues de Dresde.

L'auberge était fort agréable. On me conduisit dans une vaste chambre où je constatai avec bonheur que les draps et le matelas étaient propres. Une fillette d'une douzaine d'années me prépara un baquet d'eau chaude pour le bain et je fis disparaître avec joie la crasse que j'avais accumulée durant le voyage.

Je dînai copieusement. M. von Watzdorf toucha à peine à ce qu'on nous servit.

— Je suis trop fatigué pour apprécier ces bonnes choses, je vais aller me reposer et les forces me reviendront.

— Il me semble que votre santé ne se méliore [1] pas, mais au contraire que...

Il posa sa main sur mon bras pour m'interrompre :

— Ce n'est rien. Sans doute le bonheur de rentrer chez moi me brouille-t-il le sang.

J'avais si mal dormi depuis dix jours que je passai une nuit fort douce et reposante.

Le soir, M. von Watzdorf avait donné à une domestique ma meilleure jupe et mes jupons de lin pour qu'elle les dépoussière et les repasse. Je n'avais emporté qu'une malle d'habits et, comme je n'avais qu'une tenue de voyage, je ne l'avais pour ainsi dire point quittée depuis notre départ.

Au matin, je fus bien aise de pouvoir me changer. Une jeune servante m'aida à lacer mon corps et à arranger mes cheveux.

1. S'améliorer.

Lorsque je descendis dans la salle, M. von Watzdorf m'attendait, lui aussi vêtu de frais.

— Vous êtes ravissante, me félicita-t-il.

Je ne sais s'il avait coloré ses joues, mais je lui trouvai meilleure mine que la veille et je le lui dis.

— J'étais certain qu'après une bonne nuit de sommeil je me sentirais mieux, me répondit-il.

La voiture avait été lavée elle aussi, les chevaux bouchonnés, les harnais astiqués, et c'est avec cet équipage assez fringant que nous entrâmes dans Dresde.

Je ne vis presque rien de la ville. Les chevaux allaient bon train et, curieusement, M. von Watzdorf tint les volets de cuir baissés. À un moment je me rendis compte que nous traversions un fleuve car nous fûmes ralentis par l'affluence sur le pont.

Peu de temps après, la voiture s'arrêta.

Un valet vint m'ouvrir la portière, je descendis. Le baron me suivit.

Je crus que j'arrivais au but, que c'était la fin des soucis de M. von Watzdorf, et que ma vie allait prendre un tour agréable.

Je me trompais.

CHAPITRE

5

En descendant de calèche, je vis d'abord le jardin. Il était quasiment laissé à l'abandon et des herbes folles envahissaient les allées et étouffaient les rosiers. J'étais si fort habituée aux allées et aux massifs bien entretenus de Saint-Cyr que cela m'étonna. N'y avait-il donc pas de jardiniers en Saxe ? Ou était-ce une mode nouvelle de ne pas vouloir dompter la nature ?

Je n'eus pas le temps de poser la question.

Nous pénétrâmes dans la vaste demeure, qui me parut dans un état aussi lamentable que le jardin. Aux murs, les tapisseries et les tableaux avaient disparu, mais l'on voyait encore les crochets et les cordes auxquels ils avaient été suspendus.

Soudain, un valet âgé, chauve, se présenta devant nous et s'exclama en allemand :

— Monsieur, enfin ! Avez-vous fait bonne route ?

— Oui, Karl.

Puis désignant d'un geste de la main les murs vides, M. von Watzdorf enchaîna :

— Où sont passés les tentures, les tableaux ?

Je crus que le serviteur allait annoncer qu'ils avaient été volés, mais il répondit :

— Ah, Monsieur... c'est Mlle Elke... C'est que nous manquions d'argent et...

Le baron lui coupa la parole :

— Conduisez Mademoiselle dans le petit salon.

Mais le valet en avait déjà trop dit et il me sembla bien que le sol allait se dérober sous mes pieds. Comment se pouvait-il que le baron manquât d'argent à ce point ? Et qui était cette Elke qui se permettait de vendre ce qui ne lui appartenait pas ?

M. von Watzdorf se dirigea alors vers un grand escalier qu'il entreprit de gravir. Une quinte de toux l'arrêta et, tandis que je me précipitais pour l'aider, le valet m'arrêta :

— Venez, Mademoiselle, ce n'est pas à vous de porter secours à Monsieur. Je vais appeler un domestique.

Dans le petit salon il y avait quatre fauteuils disposés devant une cheminée. Là aussi les murs étaient vides. Je m'approchai de la fenêtre. Elle donnait sur un plan d'eau verdâtre où barbotaient deux cygnes, mais, à l'arrière, je vis bien que les arbres et les arbustes n'étaient point taillés. On aurait dit que cette demeure avait été pillée et abandonnée durant le séjour de son propriétaire en France. Est-ce pour cette raison que le baron était revenu précipitamment ? Pourquoi n'avait-il pas jugé utile de m'en informer ? Il y avait là un mystère qui ne me laissait rien présager de bon.

J'avais hâte de revoir M. von Watzdorf pour lui poser toutes les questions qui se bousculaient dans ma tête.

On me laissa seule de longues heures dans cette pièce triste et glaciale.

J'aurais pu quitter le salon, chercher un domestique, pour avoir une collation, M. von Watzdorf lui-même ou encore ce Karl...

Je n'osai pas.

Je sentais confusément que M. von Watzdorf voulait me cacher quelque chose, et il me parut de la plus haute impolitesse de vouloir le découvrir avant qu'il ne m'en parlât. Après tout, j'étais chez lui, nous n'étions pas encore mariés, et je n'avais aucune légitimité pour fouiller dans sa vie, ni aucun ordre à donner aux domestiques.

Je m'assis donc sur un fauteuil et j'attendis. Les heures s'écoulèrent. J'entendais des bruits de pas et, à plusieurs reprises, je crus qu'on venait pour moi, mais ce n'était jamais le cas. L'après-dîner s'écoula sans que je visse quelqu'un. L'agacement fit place à la lassitude.

Je dus m'assoupir. C'est l'ouverture assez violente de la porte qui me réveilla. Il faisait nuit. Karl s'avança, un bougeoir à la main, et débita d'une traite :

— Monsieur s'est alité. Il est souffrant. Votre chambre est prête. Je vais vous y conduire. Une collation vous y attend.

Cette avalanche de paroles m'assomma, et je balbutiai :

— Je... je veux aller le voir...

— Ce n'est pas souhaitable.

— Je... je me dois d'être à ses côtés...

— Et de quel droit ? lâcha-t-il sèchement.

Le rouge me monta au front. Visiblement, ce Karl me détestait. Qu'avais-je fait pour mériter son acrimonie ?

Je le suivis. Nous traversâmes plusieurs pièces, puis nous empruntâmes un escalier qui nous conduisit à l'étage. Après avoir encore traversé deux ou trois pièces vides, le valet ouvrit la porte sur une chambre glaciale où trônait un lit à baldaquin. Il y avait aussi deux chaises, une coiffeuse et le coffre que j'avais apporté de France. Sur une petite table, un plateau avec mon repas.

— Bonne nuit, Mademoiselle, grommela Karl en allumant le chandelier posé sur la cheminée. Et n'oubliez pas de moucher les chandelles avant de vous endormir, il ne manquerait plus qu'il y ait le feu !

J'étais si angoissée que ma faim s'était envolée. À la rigueur, j'aurais grignoté quelques douceurs, mais l'assiette contenait un potage froid à l'aspect assez repoussant. Je saisis la cruche de terre et me versai un verre d'eau. Je le bus lentement en mordant dans la tranche de pain noir et compact posée sur le plateau. Des larmes coulèrent sur mes joues. Je ne cherchai pas à les retenir. J'étais seule et il me parut que ma chambre était à une extrémité non habitée du bâtiment. On m'avait volontairement isolée des autres comme si j'avais été une pestiférée ou, tout au moins, un élément indésirable dans la vie de M. von Watzdorf.

Que me reprochait-on ? Qu'avais-je fait de mal ? Rien. Absolument rien. C'était lui qui était venu me retirer de Saint-Cyr. Moi, j'avais obéi. C'était tout.

Je me glissai dans les draps froids et humides. Je regrettai de n'avoir pas osé demander que l'on allumât un feu dans la cheminée car, en ce début d'automne, il aurait été agréable et réconfortant de voir danser les flammes. Je me promis d'en parler au baron afin qu'il donnât des ordres en conséquence.

J'essayai de trouver le sommeil, mais j'étais si choquée par ce que je venais de vivre que je n'y parvins pas.

Au petit matin, je me levai, m'habillai et me coiffai rapidement, bien décidée à obtenir des explications de M. von Watzdorf sur l'étrange situation de sa maison. Comme il était fort tôt et que le jour perçait juste, je ne croisai aucun domestique. Hélas, j'ignorais où était la chambre du baron. Intuitivement, je pensais qu'elle était à l'opposé de la mienne. Je me dirigeai donc vers l'autre extrémité du château. Elle me sembla moins délabrée, car j'aperçus au hasard des pièces que je traversais des meubles, des tentures et des tapisseries.

Soudain, j'entendis tousser dans une pièce. Je poussai la porte. Le baron était étendu sur un lit. Personne n'était à son chevet.

— Éléonore, je suis heureux de vous voir. Pourquoi diantre ne vous a-t-on pas logée près de ma chambre ?

— C'est ce que j'allais vous demander, monsieur.

— Ah, nous sommes bien peu de chose et il suffit que l'on s'éloigne quelques mois de chez soi pour que tout marche à l'envers. Mais cela va changer, je vous le promets.

Le sourire que j'esquissai se figea sur mes lèvres car la porte venait de s'ouvrir sur une femme.

— Sortez de cette chambre ! hurla-t-elle, l'index pointé en direction de la porte.

— Elke, je ne vous permets pas de parler sur ce ton à Éléonore ! s'interposa le baron.

— Je lui parle comme elle le mérite ! Cette... cette gourgandine ne vous a suivi que pour avoir votre héritage ! Et c'est pour assouvir ses luxueux caprices que vous avez dilapidé la fortune familiale !

L'affront me fit vaciller, mais j'étais si interloquée par cette attaque qu'aucun mot ne réussit à franchir mes lèvres.

— Voyons, Elke, vous déraisonnez ! Éléonore est une demoiselle de la Maison Royale d'Éducation de Saint-Cyr. Elle m'a été chaleureusement recommandée par Mme de Maintenon, et je vais l'épouser dès que ma santé se sera méliorée.

— L'épouser ! Vous ne parlez pas sérieusement ?

— Si fait. Et cette union ne vous regarde en rien. C'est ma vie et c'est ma fortune, et je la gère comme il me plaît. J'aimerais avoir un fils qui porte mon nom et à qui je léguerai mes titres.

— Un fils ! s'étrangla Elke au comble de la colère, quand vous avez une fille dont vous ne vous êtes jamais soucié !

Je n'y comprenais plus rien. Une fille ? Quelle fille ? Le baron m'avait assuré qu'il était veuf et sans enfant ! Devant mon air ahuri, il me précisa :

— Elke est ma fille, et il est vrai que je n'ai pas été un bon père. J'ai longtemps espéré que ma femme me donnerait ce fils... mais elle est morte. À présent, c'est de vous, Éléonore, que j'attends ce bonheur.

— Jamais ! hurla Elke.

Et elle sortit de la pièce en claquant la porte.

— Je n'ai pas su l'aimer, murmura le baron, et elle m'en veut. Mais seule compte notre union. Je vais immédiatement convoquer un notaire et un prêtre pour que tout soit réglé le plus...

Une violente quinte de toux l'empêcha de poursuivre. Son corps était secoué de soubresauts et il ne parvenait pas à reprendre son souffle. Inquiète, je me précipitai hors de la chambre pour obtenir de l'aide et je me heurtai à Karl.

— Regagnez votre chambre ! m'ordonna-t-il sèchement, je m'occupe de Monsieur.

En arrivant dans l'aile nord, je rencontrai un jeune homme à l'allure étrange. Il était mince, portait une tunique noire sur son habit et avait une chevelure blonde, dense et bouclée, qui semblait ne pas avoir été coiffée depuis plusieurs jours. Il s'inclina fort poliment devant moi.

— On m'a dit que mon oncle était de retour de France, et je ne l'ai pas encore salué. J'y vais de ce pas.

— M. von Watzdorf est souffrant.

— Oh, le cher homme ! J'espère que ce n'est point grave ?

— Je l'espère aussi.

Il me dévisagea soudain avec attention et s'étonna :

— Êtes-vous une nouvelle femme de chambre ?

— Non point. Je suis... je suis...

Je cherchai mes mots. Je ne savais pas trop que répondre. La bienséance aurait voulu que quelqu'un me présentât à lui. Mais il n'y avait personne pour remplir cet office.

— Je suis la promise de monsieur le baron.

— Mon oncle va se remarier ?

— Oui, monsieur.

— Eh bien, Elke doit être furieuse ! Il y a si longtemps qu'elle dirige la maison comme elle veut qu'elle ne supportera pas que vous la reléguiez au second plan ! Et si en plus vous mettez au monde un fils, elle verra s'envoler tous ses rêves d'héritage !

— Je ne souhaite pas prendre sa place ! M. von Watzdorf a prétendu qu'il était veuf et sans enfant.

— Un petit mensonge pour vous attirer jusqu'ici, me dit-il avant d'ajouter : Et, ma foi, je l'excuse, car vous êtes le charme et la grâce mêmes.

Le compliment me mit mal à l'aise et, afin que ce jeune homme sût qu'il n'avait pas affaire à une fille de mauvaise vie, je rétorquai :

— J'ai nom Éléonore d'Aubeterre. J'étais pensionnaire de la Maison Royale d'Éducation de Saint-Louis fondée par notre Roi, et si monsieur le baron ne m'avait pas promis le mariage, j'y serais encore.

— Ah, oui ? murmura-t-il comme s'il doutait de ma parole.

Cela m'agaça et, oubliant toute éducation, je lui lançai, des éclairs dans les yeux :

— Et vous, monsieur, qui êtes-vous ?

— Johann Böttger [1], le neveu de Georges. Mes parents sont morts du choléra voici cinq ans et, depuis, mon oncle m'héberge généreusement. Enfin... généreusement est peut-être exagéré... car figurez-vous que j'ai fait des études d'alchimie et que je suis à la recherche de la Pierre philosophale.

— La Pierre philosophale ?

J'en avais vaguement entendu parler, mais je ne savais pas exactement de quoi il s'agissait.

— Oui, c'est elle qui permet la transmutation de n'importe quel vil métal en or.

— En or ? m'étonnai-je.

1. Johann Frederick Böttger, alchimiste saxon, a servi de référence pour ce personnage.

— Parfaitement. Et celui qui la détient a l'assurance de ne point vieillir car avec elle on a le secret de l'éternelle jeunesse.

— De l'éternelle jeunesse ? repris-je à nouveau.

Johann éclata de rire devant mon ignorance.

— Vous ne me croyez pas ?

— Heu... si, si, m'empressai-je d'acquiescer.

Un doute s'empara de moi. Ce garçon était-il fou ? Ou alors s'agissait-il de l'un de ces esprits supérieurs ayant conclu un pacte avec le diable pour acquérir l'immortalité ? Quoi qu'il en soit, il me parut suffisamment inquiétant pour ne pas le contrarier.

— Venez visiter mon laboratoire, je vous montrerai mes cornus, mes chaudrons, mes creusets.

— Heu, merci... une autre fois.

— Comme il vous plaira. Je vais tout de même aller saluer mon oncle. C'est grâce à lui que je peux me livrer à toutes ces expériences qui me passionnent... mais il est vrai que si je réussis, ses ennuis d'argent seront définitivement terminés. Je ne serai pas un ingrat ! Bien le bonjour, mademoiselle, termina-t-il en s'inclinant.

Je regagnai ma chambre avec l'abominable sentiment d'être comme une souris prise au piège. Le baron était malade, il avait une fille qui me détestait, et il semblait avoir de graves problèmes financiers.

En ce qui me ·concernait, l'argent importait peu, mais j'avais accepté d'épouser le baron uniquement parce qu'il s'était engagé à payer la dot de Joséphine et Marie. S'il était ruiné, je m'étais sacrifiée pour rien. Et la pensée de devoir vivre avec ce vieil homme malade sans avoir la consolation de venir en aide à mes sœurs m'était insupportable ! J'espérai qu'il avait au moins eu le temps d'intercéder auprès de Mme de Maintenon pour qu'Antoinette et Gilberte entrent à Saint-Cyr, mais je n'en étais point certaine. Je me promis d'en obtenir la confirmation dès que possible.

Je pensais qu'une cloche indiquerait l'heure du dîner ou qu'un domestique m'apporterait un plateau, mais rien ne se passa. La faim me tiraillait fort désagréablement l'estomac, d'autant que le matin je n'avais rien mangé. Tout au long du voyage, M. von Watzdorf avait pris soin de moi. Il ne pouvait à présent me laisser ainsi sans feu, sans nourriture, sans eau pour ma toilette ! Donnait-il des ordres que les domestiques refusaient d'exécuter ? Ou alors sa fille les empêchait-elle d'agir ?

Je sentais bien que je n'étais point la bienvenue dans ce logis, et cela me blessait.

Je quittai ma chambre et, après plusieurs longues minutes d'errance, guidée par les bruits et les odeurs, je pénétrai enfin dans la cuisine.

Deux cuisinières ventrues et rougeaudes s'y trouvaient. L'une était occupée à racler le fond d'un chaudron de cuivre avec une cuillère de bois et à la lécher avec application, l'autre, assise sur un tabouret, les pieds recouverts d'un amas duveteux, plumait une poule. Elles ne s'arrêtèrent pas en me voyant et ne me montrèrent aucun signe particulier de respect. Cela me perturba. Je ne comptais point sur une révérence, mais, tout de même, j'étais la future épouse de leur maître et, à ce titre, la bienséance aurait voulu qu'elles me saluassent. J'étais donc considérée par elles comme... comme une moins que rien... Elles aussi me prenaient pour une fille de mauvaise vie que le baron avait ramenée de France pour son plaisir. La honte me submergea et je n'osai même pas leur demander quelque chose à manger. Je tournai les talons et, les larmes aux yeux, je courus me réfugier dans ma chambre.

J'y demeurai toute la journée sans que personne ne s'inquiétât de mon sort.

Plusieurs fois, j'eus envie de sortir, mais la crainte de subir de nouvelles humiliations m'arrêta.

Alors que la nuit commençait à tomber, on entra dans la pièce après avoir tapé un coup sec à la porte et sans que j'eusse donné l'autorisation d'entrer. Une des deux cuisinières aperçues en bas posa, à même le lit, un plateau.

— Mlle Elke m'a commandé de vous apporter le souper, m'annonça-t-elle du bout des lèvres.

J'ignorai sa morgue et, profitant de sa présence, je m'informai :

— Comment va monsieur le baron ?

Elle me lança un regard glacial et lâcha :

— Mal.

— Alors, il faut que j'aille le voir.

— Je ne vous le conseille pas. Mlle Elke est à son chevet.

J'avais très envie de lui dire que j'étais la promise du baron et qu'elle me devait le respect, mais elle quitta rapidement la pièce avant que je n'aie répliqué.

Malgré l'angoisse qui m'étreignait, je me jetai sur la nourriture : un verre de lait, un morceau de jambon et une tranche de pain noir. Ce repas calma ma faim et, comme je n'avais rien d'autre à faire, je m'allongeai sur le lit où je finis par m'endormir.

6

Je dormis fort mal.

Des cauchemars m'assaillirent.

Vêtue de haillons, je mendiais dans des rues sombres et glaciales. Les gens me tournaient autour en se gaussant : « C'est une demoiselle de la Maison Royale d'Éducation. »

Je m'éveillai, secouée de frissons, de la sueur perlant sur mon front. Je crus qu'à mon tour j'étais saisie par la fièvre. Je m'efforçai alors de respirer lentement et, fort heureusement, je vis qu'il n'en était rien. Je m'approchai de la fenêtre et, quoi que le soleil fût pâlichon, je jugeai que la matinée était déjà bien avancée. J'étais confuse d'avoir dormi si longtemps, ce n'était point mon habitude. Mais la journée précédente avait été si éprouvante !

Je bus le peu d'eau restant dans la carafe, car j'avais le pressentiment que ce serait là tout mon déjeuner. Je regrettai de n'avoir pas une cruche et une cuvette pour me laver et me rincer la bouche comme nous avions coutume de le faire à Saint-Cyr. Je me sentais sale et c'était fort désagréable. Je me demandais si dans ce pays de la Saxe les gens ne se lavaient jamais ou si c'était pour m'humilier qu'Elke oubliait de me nourrir et de me faire porter de l'eau.

Je me vêtis et me coiffai et, comme la veille, je sortis de ma chambre et me dirigeai vers celle du baron. La cuisinière m'avait affirmé que sa santé n'était point bonne, mais je la soupçonnais d'avoir pris un malin plaisir à m'inquiéter inutilement.

Dès que j'arrivai dans l'autre aile du château, des allées et venues de valets, de gens inconnus m'intriguèrent. Hier tout était si calme. Que venaient faire toutes ces personnes ?

Tout à coup, une pensée s'imposa à moi : « Le baron est au plus mal. »

Je hâtai le pas. Devant la porte de sa chambre, Karl étendit théâtralement les bras pour m'en interdire l'accès.

— Monsieur est mort dans la nuit, m'annonça-t-il.

J'eus comme un éblouissement, mes jambes se mirent à flageoler, mes mains à trembler, mais je bandai mes forces afin de ne pas tomber en pâmoison. Pour me donner le temps de récupérer, j'insistai bêtement :

— Comment ? Mort ?

— Mort, répéta-t-il, sans avoir reçu les sacrements de l'Église afin d'expier ses fautes.

— Hier, lorsque je l'ai vu, il n'était pourtant pas à la dernière extrémité...

— Dieu l'a voulu ainsi. Paix à son âme.

Durant toute cette conversation, il avait gardé les bras tendus devant la porte.

— Laissez-moi entrer pour lui présenter mes derniers hommages.

— Mlle Elke le veille, elle ne veut personne à son chevet.

La tristesse, la colère et la déception que j'avais trop longtemps contenues me submergèrent soudain et, oubliant toute retenue, je criai :

— J'en ai assez des ordres de Mlle Elke ! Elle me traite comme un chien ! Son père avait de la considération pour moi et c'est mon devoir de le veiller !

Attirée par mes éclats de voix, Elke ouvrit la porte et riposta :

— Vous n'avez rien à faire ici parce que vous n'êtes rien ! Mon père a eu l'outrecuidance de vous amener sous notre toit, et vous vous apprêtiez à profiter honteusement de ce qu'il reste de sa fortune. Puisqu'il n'est plus, je vous ordonne de partir.

— Je... La fortune de votre père ne m'intéresse pas, c'est lui qui est venu me chercher ! C'est lui qui m'a proposé de doter mes sœurs ! Je n'avais rien demandé, moi ! m'emportai-je à mon tour.

— Il devait doter vos sœurs ? Quel beau parleur ! Et avec quoi l'aurait-il fait ? Il n'a plus un thaler [1]. C'est même à cause d'une importante dette de jeu qu'il a dû fuir Versailles précipitamment.

La nouvelle de la trahison du baron me fit l'effet d'une gifle. Ainsi, il m'avait menti pour que je cède à ses avances ! Pourtant, il aurait eu plusieurs fois l'occasion d'abuser de moi et il avait préféré attendre le mariage. Quel curieux homme !

Profitant de mon silence, Elke poursuivit :

— Mon père ne m'a jamais aimée. Il voulait un fils. C'est un fils qu'il espérait de vous et ce fils m'aurait ôté le peu de bien qu'il me reste. Ce château, c'est ma seule dot. Il est à moi et à moi seule, vous entendez !

Je la comprenais. J'étais l'intruse. Elle n'avait pas tort. Toute la faute revenait au baron. Las, il était mort. Je devais lui pardonner pour qu'il accède au

1. Nom de la monnaie en Saxe.

paradis. Prise en faute d'avoir cru aux belles menteries du baron, je baissai la tête.

Elke saisit son avantage et déclencha sa dernière attaque :

— Partez ! Et que je ne vous revoie plus ici !

Honteuse, je courus aussi vite que je pus pour m'éloigner d'elle, de lui, et m'enfermer dans ma chambre. Là, je m'effondrai sur le lit et je pleurai à chaudes larmes sur mon sort.

Qu'allais-je devenir ?

Je devais quitter ce lieu, mais pour aller où ? Je ne connaissais personne dans ce pays.

Regagner la France ?

Comment ? Le voyage de retour serait long et onéreux et je n'avais pas un sol [1] à moi.

Je pensai à Saint-Cyr, aux amies que j'y avais laissées, Isabeau, Olympe, Henriette, Jeanne, Anne ; à celles qui l'avaient quitté pour d'autres destins, comme Louise, Charlotte, Hortense. Et même la triste expérience de Gertrude me parut moins terrible que la mienne. À présent, j'étais seule ; l'amitié et la complicité des autres me manquaient cruellement. J'aurais donné vingt ans de ma vie pour me retrouver entre les murs protecteurs de notre maison.

---

1. Monnaie de l'époque. Un sol vaut vingt deniers.

Combien de temps restai-je ainsi, prostrée ? Je l'ignore.

Soudain, on toqua à la porte.

Elke avait-elle eu pitié de moi et venait-elle m'offrir quelques thalers ? Un domestique m'apportait-il le repas ? À moins que Karl ne fût chargé de me faire sortir d'ici par la force ?

Je séchai rapidement mes larmes d'un revers de la main et, me redressant dans une attitude digne, je lançai :

— Entrez !

Johann s'encadra dans l'ouverture de la porte. Je ne m'attendais pas à lui. En trois enjambées il fut dans la ruelle de mon lit et me dit, au comble de l'excitation :

— Elle me chasse ! Il paraît que j'ai contribué à la ruine de son père !

— Moi aussi, elle me chasse.

— C'est ce qu'elle m'a annoncé. C'est pour cette raison que je me suis permis de vous rendre visite.

Il se laissa tomber sur le coffre, se passa une main dans les cheveux et poursuivit comme pour lui-même :

— Toute ma vie est vouée à la chimie et, si je n'ai plus de laboratoire pour me livrer à mes expériences, je suis perdu... J'étais si proche d'atteindre le Grand Œuvre... si proche... c'était une question de quelques mois, de quelques jours peut-être...

— Le Grand Œuvre ?

Il me regarda comme si j'avais été simple d'esprit et martela :

— Oui... la Pierre philosophale !

— Ah ? bien sûr.

— Vous ne me croyez pas... je le lis dans vos yeux... Venez avec moi, je vais vous montrer.

Et avant que je n'aie pu protester, il me prit la main.

Nous empruntâmes un escalier en colimaçon qui montait dans l'un des anciens donjons du château et nous nous arrêtâmes devant une porte basse. Il sortit une clef qu'il portait cachée sous sa chemise, fit jouer l'énorme serrure et me poussa dans une pièce ronde hermétiquement close.

J'eus un mouvement de recul : sur des étagères bancales s'alignaient de nombreux récipients de toutes formes. Des plantes curieuses poussaient dans des pots. Des cages contenaient des souris. Des sacs de toile étaient entassés sous une planche, deux étaient éventrés, laissant s'échapper une poussière noirâtre. Un énorme alambic de cuivre tenait tout un côté de la pièce, tandis qu'un four encore chaud répandait une odeur âcre. Sur une table, j'aperçus des feuilles éparses couvertes d'écritures étranges, de calculs, ainsi que quelques livres qui me parurent fort vieux et bien sales.

— Mon royaume ! se vanta-t-il.

C'était la première fois que je pénétrais dans un lieu tout entier voué à la chimie. Je connaissais l'apothicairerie de notre maison, mais tout y était propre, méticuleusement rangé, étiqueté. Il y flottait le doux parfum des plantes séchées. Ici, rien de comparable.

— Regardez dans ce creuset, qu'y voyez-vous ?

Je m'approchai. Le son de sa voix me porta à croire que j'allais découvrir une curiosité. Aussi, c'est fort déçue que je répondis :

— Une sorte de bouillie noirâtre.

— Malheureuse ! s'exclama-t-il, offensé. Il s'agit de l'œuvre au noir... la première étape pour atteindre le Grand Œuvre.

— Ah ? dis-je, mi-étonnée, mi-inquiète.

— Je vous explique : il y a trois étapes principales pour créer une Pierre philosophale. Premièrement, on calcine la matière pour la purifier et atteindre l'état de putréfaction, c'est l'œuvre au noir. Ensuite vient l'œuvre au blanc, qui permet de transformer les métaux en argent, c'est le mercure des philosophes. Enfin, l'œuvre au rouge, ou Grand Œuvre, consiste à mélanger le ferment constitué d'argent avec le mercure des philosophes dans un matras en verre que l'on ferme de manière hermétique. On met le tout à cuire dans un athanor et on obtient de l'or.

Cette explication me laissa bouche bée d'admiration. Je n'avais pas tout compris, mais il est vrai que j'étais ignare en la matière et que Johann paraissait maîtriser parfaitement bien son sujet.

— C'est pendant la cuisson que tout se passe. D'abord le mélange devient noir, puis subitement la couleur vire au blanc étincelant. À ce moment la pierre est capable de transformer le plomb en argent. Si on laisse la cuisson se poursuivre, le blanc cède la place au rouge... c'est là qu'on reconnaît la Pierre philosophale parfaite.

— Et vous avez réussi ?

— Pas encore. Je ne maîtrise que la première phase. Mais je cherche dans les livres des Anciens, je refais les calculs, je pèse les diverses poudres, je les mélange en changeant les proportions... je sens que je suis tout proche de la solution. Car, voyez-vous, si l'or est jaune, c'est qu'il contient beaucoup de soufre, et si l'argent est blanc, c'est qu'il contient du mercure... il suffit donc de trouver la formule permettant de supprimer le mercure et de le remplacer par du soufre.

— Quelqu'un a-t-il réussi avant vous ?

— Bien sûr ! Un Français. Il se nomme Nicolas Flamel [1], c'est le plus grand alchimiste au monde.

1. Nicolas Flamel (1330 - 1418).

Il a découvert la Pierre philosophale et réussi sa première transmutation en or en 1382.

— Oh, c'était il y a fort longtemps !

— Trois cents ans seulement, et il est devenu si riche qu'il a fait construire quatorze hôpitaux et sept églises. Il aurait noté la formule dans un livre qui a disparu... Si lui l'a découverte, je le peux aussi.

— Vous êtes donc chimiste ?

— Si fait. Je suis entré à l'âge de quatorze ans comme apprenti chez un pharmacien de Berlin. La chimie est rapidement devenue ma passion. Plus tard, j'ai lié connaissance avec un alchimiste qui m'a fait partager ses expériences sur la Pierre philo-sophale, puis j'ai rencontré un moine grec qui m'a offert, en gage d'amitié, un peu de la teinture rouge de l'immortalité. Grâce à cette poudre, j'ai tenté de nombreuses expériences...

J'avais l'impression d'avancer dans un monde inconnu, étrange, passionnant et dangereux, et c'était assez excitant. J'étais si émue que j'osai à peine murmurer :

— Et... êtes-vous devenu... immortel ?

— Je n'ai pas essayé, par crainte d'offenser Dieu... mais quelqu'un l'a fait sans le vouloir. C'était il y a quatre ans. Je venais de tester la poudre sur un crapaud en espérant qu'il redevienne têtard, mais la dose devait être trop forte pour cette petite bête car elle en mourut. Le vieux domestique de mon oncle entra alors dans la pièce et se moqua de moi : « Si c'est pas malheureux d'user sa jeunesse le nez dans les fioles à chercher un élixir de jeunesse ! » « Je viens de le découvrir », lui répondis-je. « Eh bien, donnez-m'en que je retrouve mes vingt ans. » Je refusai parce que le crapaud était mort. Apercevant une fiole sur la table, il me questionna : « C'est ça ? » Je hochai la tête et, avant que je n'aie pu prévenir son geste, il avait avalé le fond du flacon. Rien ne se passa et j'en fus bien soulagé. Mais le lendemain, mon oncle m'informa que le vieux Jack était alité avec une forte fièvre.

— Il est mort ? hasardai-je, le souffle court.

Johann éclata d'un rire sonore et reprit :

— Non. Après huit jours de fièvre, son corps se mit à peler, il perdit ses cheveux, ses ongles, ses dents gâtées et tous ses poils. Puis, petit à petit, les cheveux et les poils repoussèrent d'un beau noir de jais. Des dents et des ongles tout neufs surgirent aussi, et le tout fut accompagné d'une peau jeune, d'un teint vermeil et d'une vigueur à nulle autre pareille.

— Oh, comme j'aimerais le voir !

— Las, après m'avoir bien remercié, il a quitté le service de mon oncle, qui traitait assez mal ses domestiques, afin de s'engager chez un prince où il est payé pour conter son histoire à tous les hôtes de passage. Ce qui est beaucoup moins fatigant, vous en conviendrez.

J'étais abasourdie et en même temps assez effrayée, car il me parut que cette métamorphose était sacrilège. Seul Dieu avait pouvoir de vie ou de mort sur les hommes, et atteindre l'immortalité était certainement contraire aux projets divins. Je le dis à Johann, qui m'affirma :

— Je partage votre opinion, c'est pourquoi je ne me suis plus jamais servi de cette poudre. D'ailleurs, je n'en ai plus. Le moine ne m'en avait donné qu'une once [1].

Je soupirai d'aise. Il m'aurait fort déplu que Johann risquât la damnation éternelle, car j'éprouvais de la sympathie pour lui.

À son tour, il soupira, mais de désespoir cette fois.

— Quitter tout ça est un déchirement ! me dit-il en désignant son capharnaüm.

— Mais pourquoi donc Elke vous chasse-t-elle ? Elle deviendra riche si vous découvrez le secret de la Pierre philosophale !

— Elle me déteste ! Mon oncle, paix à son âme, me préférait à elle, parce que j'étais un garçon. Sa bourse m'était toujours ouverte afin que j'achète ce dont j'avais besoin pour mes expériences, alors

1. Mesure de poids valant 30,594 grammes.

qu'il refusait à sa fille les robes et les bijoux dont elle avait envie. À présent, elle tient sa vengeance.

— Qu'allez-vous faire ?

— Je l'ignore. Je n'ai plus de famille et aucune source de revenus... Sans laboratoire, je suis un homme fini. Je devrai mendier mon pain dans les rues ou louer mes bras comme valet dans une ferme.

— Je suis dans la même situation que vous.

— Alors, restons ensemble. À deux, on est plus forts ! me proposa-t-il avec enthousiasme.

J'étais si désemparée que, sans réfléchir, je lui répondis :

— Bonne idée !

Aussitôt après, je rougis de mon audace car je venais de me lier à un jeune homme que je connaissais à peine. Mais quelque chose en lui m'attirait. Je n'aurais pas su dire quoi. En tout cas, ce n'était pas l'appât de l'or, non, c'était plus mystérieux, comme un frémissement lorsqu'il me regardait et que sa voix chaude m'enveloppait.

7

Puisque le baron avait trahi ma confiance, je ne me sentis pas obligée d'assister à son enterrement. De toute façon, Elke ne l'aurait pas toléré. Tout dans cette maison me rappelait mon malheur, il était inutile que je m'y éternise.

J'enfermai dans un drap quelques effets, choisissant les plus simples, car je me doutais bien qu'à l'avenir je n'aurais point l'occasion de porter des jupes et des plastrons brodés d'or et d'argent. Je cachai contre mon sein le collier de saphirs et de diamants, cadeau du baron. J'estimais que c'était un dédommagement pour les préjudices qu'il m'avait fait subir. Je pensais le vendre pour payer mon voyage de retour en France.

Johann m'attendait devant ma porte, un baluchon sur l'épaule.

— J'emporte mes notes, quelques livres, des poudres et un creuset, me dit-il, ainsi je pourrai continuer mes recherches dès que j'aurai un nouveau logis. Passons par l'arrière, Elke serait capable de nous interdire d'emporter la moindre chose. Elle a si peur d'être dépouillée de son héritage !

Nous quittâmes donc le château en nous cachant comme des voleurs. Cela me blessa. Johann choisit le parti d'en rire. Il me prit la main, et nous traversâmes le parc en nous faufilant d'arbre en arbre.

— Voyons, ne prenez pas cet air chagrin, j'ai le sentiment qu'ensemble nous commençons une nouvelle vie et qu'elle sera belle ! me réconforta-t-il.

— Comment pouvez-vous être si optimiste alors que nous sommes sans argent, sans logis et sans travail ?

— Il faut compter sur la Providence !

— J'ai beaucoup prié Dieu.

— Je pense sincèrement que c'est Lui qui nous a mis sur le même chemin afin que nous nous rencontrions.

J'ébauchai un sourire. Je m'étais dit la même chose quelques instants auparavant.

Johann eut plaisir à me présenter sa ville. Moi qui ne connaissais que la Maison de Saint-Cyr et un peu de Versailles, je fus éblouie par la splendeur des monuments se reflétant dans l'Elbe, la légèreté des façades aux frontons ajourés, la majesté des ponts enjambant le fleuve et les nombreuses échoppes ouvertes le long des rues. Les élégantes que j'aperçus dans des carrosses ressemblaient en tout point à celles que j'avais croisées en me rendant à Versailles.

— C'est normal, m'affirma Johann, notre prince électeur Jean-Georges voue une grande admiration à votre pays. Aussi les nobles copient-ils la cour de Versailles. Ils parlent français, s'habillent et se coiffent « à la française ».

Après avoir marché de longues heures notre baluchon à la main, il m'offrit le repas dans une auberge.

— Non, non, protestai-je, il n'est pas raisonnable de dépenser ainsi votre argent.

— Eh quoi ! Nous n'allons pas nous laisser mourir de faim !

— Achetons un pain, ce sera suffisant.

— Non point. Fêtons notre liberté !

Son sourire et son insouciance firent taire mon inquiétude. Toute ma vie n'avait été que rigueur, renoncement, obéissance, et découvrir une autre facette de l'existence, au moment même ou je m'y attendais le moins, était surprenant et séduisant.

On nous servit un copieux repas et comme depuis mon arrivée à Dresde je n'avais pas mangé à ma faim, j'appréciai doublement ce festin. Johann tint à me faire goûter une boisson mousseuse de chez lui nommée « bier ». Je la trouvai amère, mais afin de lui être agréable, j'en bus une chope. N'étant pas habituée à l'alcool, la tête me tourna et je me mis à rire à tous ses propos.

— J'aime vous entendre rire ! me dit-il.

Jusqu'à ce jour, j'avais eu fort peu d'occasions de rire, sauf quelques soirs lorsque avec mes amies, nous plaisantions dans le dortoir. Il me sembla qu'avec Johann les occasions seraient plus nombreuses.

Je me trompais.

Il retint pour la nuit une chambre dans une hostellerie et, galamment, il me laissa le lit tandis qu'il s'installait assez inconfortablement sur un fauteuil. J'avais une telle confiance en lui que pas un seul instant je n'eus peur qu'il s'approchât de moi et tentât un geste déplacé.

Au matin, il m'annonça :

— Je vais aller proposer mes services aux apothicaires de la ville.

— De mon côté, j'irai me renseigner pour savoir comment regagner la France.

— Vous voulez donc partir ?

— Je n'ai pas d'autre solution. Je dois rejoindre ma famille ou un couvent au plus vite, afin de ne pas perdre ma réputation. Il serait du plus mauvais effet que je reste seule ici sans être sous la protection d'un époux.

— Moi, je vous protégerai !

Sa naïveté était désarmante.

— Oh, ce sera bien pire si l'on sait que vous me protégez ! Les mauvaises langues risquent de m'accuser d'avoir fait boire au baron une poudre de succession [1] par amour pour vous !

— Parce que vous m'aimez ? s'exclama-t-il.

— Je n'ai pas dit cela, me défendis-je en rougissant.

Et j'enchaînai rapidement afin qu'il oublie cette parole malheureuse :

— Mon père, qui a déjà quatre filles sans dot à marier, n'a pas besoin d'une cinquième à la réputation entachée !

— Mais s'il le faut, j'irai le supplier à genoux qu'il me donne sa bénédiction pour que je vous épouse.

— Voyons, Johann, le grondai-je, nous nous connaissons depuis trois jours seulement !

---

1. C'est ainsi que l'on appelait le poison, puisqu'il pouvait permettre d'hériter plus vite...

— C'est largement suffisant pour savoir que vous êtes la femme dont j'ai toujours rêvé.

Il me prit les deux mains et plongea son regard bleu clair dans le mien. Je me sentis chavirer. Je résistai. Il était charmant, attentionné, drôle, mais l'aimais-je vraiment ? Ignorant tout de ce sentiment, j'avais peur de me tromper. Je le repoussai doucement, ajoutant toutefois fermement :

— Pardonnez-moi, il me faut du temps... plus de temps...

— Je vous accorde tout le temps nécessaire... mais je vous en supplie, ne partez pas.

Il m'émut. Et puis ce voyage de retour m'angoissait. En réfléchissant quelques secondes, je me dis que mon père, s'il avait donné son consentement, m'imaginait mariée au baron. Ma réputation était donc intacte. Au contraire, c'est en revenant en France sans époux que j'attirerais les ragots.

Je ne sais quel argument fut le plus fort, mais les mains toujours dans celles de Johann, je répondis :

— Soit, je ne pars pas. Mais je vais chercher une place de demoiselle de compagnie.

Il m'embrassa tendrement sur le front et il sortit.

À mon tour, je quittai l'auberge. Une petite pluie fine tombait. Je n'avais point eu la présence d'esprit d'emporter une cape et je le regrettai. J'avançai dans les rues sans savoir comment on devait s'y prendre pour obtenir un travail. Encore une chose que l'on ne nous enseignait point à Saint-Cyr.

Frapper aux portes des maisons bourgeoises me parut inconcevable.

J'essayai de deviner qui habitait derrière les façades richement décorées pour savoir si j'aurais un bon ou un mauvais accueil. À ce jeu-là, la journée s'écoula sans que je me sois décidée à agir. En rentrant à l'auberge, j'étais épuisée, trempée, transie, mais surtout honteuse. J'avais le sentiment de n'être bonne à rien.

Lorsque Johann arriva, je lus sur son visage que sa quête n'avait pas été plus fructueuse que la mienne. Il me le confirma :

— Aucun des apothicaires de la ville n'a besoin d'un commis.

La déception et la fatigue me firent fondre en sanglots.

— Voyons ! ne vous découragez pas ! me consola-t-il. Je suis certain qu'une demoiselle aussi cultivée et avenante que vous va être engagée par la meilleure famille de la ville, et je finirai bien par dénicher le médecin ou l'apothicaire qui me prendra à son service.

Les jours passèrent.

J'avais fini par me résoudre à frapper à quelques portes. On me répondit qu'il n'y avait aucune place disponible. Et quand, par chance, le majordome m'introduisait auprès de sa maîtresse, elle commençait par reluquer ma robe froissée dont le bas était taché de boue, ma coiffure malmenée par le vent et la pluie et me demandait du bout des lèvres : « Chez qui avez-vous servi ? » Je me troublais : « Chez personne encore... » Et j'ajoutais ce qui me semblait être un sésame digne de confiance : « J'ai été élevée dans la Maison Royale de Saint-Louis à Saint-Cyr. » Mais la dame faisait la moue. La réputation de notre maison n'était point parvenue jusqu'à chez les bourgeoises de Saxe. « Vous êtes française ? » s'étonnait-on. L'une d'elles se leva même brusquement et me lança : « C'est vous qui avez ravagé le Palatinat [1] ! Une partie de ma famille y a péri, notre maison a été incendiée. Sortez ! »

Après cette épreuve, je ne frappai plus à aucune porte.

Johann revenait lui aussi bredouille, mais cela ne parvenait pas à entamer son optimisme.

— Demain, vous verrez, demain, nous aurons plus de chance.

J'en doutais.

Nous avions une semaine de loyer de retard, et l'aubergiste menaçait de nous expulser.

---

1. Les troupes françaises ravagèrent effectivement le Palatinat, région située sur le Rhin, en 1689.

Je me rendis chez un orfèvre pour vendre mon collier. L'homme me jaugea d'un regard peu amène et examina le bijou avec soin afin de s'assurer qu'il était composé d'or, de saphirs et de diamants véritables.

— Où avez-vous eu pareil objet ? m'interrogea-t-il, l'œil rivé sur sa loupe.

— Il est à moi... c'est un cadeau, mais un revers de fortune m'oblige à m'en séparer.

— À vous ? reprit-il d'un ton narquois...

Je n'avais assurément pas l'allure d'une dame de condition mais celle d'une pauvresse, aussi me dit-il :

— Des malandrins [1] ont récemment volé des bijoux lors d'un bal donné par notre prince électeur. Il y a une forte récompense pour celui qui les retrouve et le titre d'« orfèvre du prince » à la clé.

— Ce bijou est à moi, je vous le jure !

Je me mis à trembler. Il allait prévenir la police, on m'arrêterait et personne ne pourrait assurer que ce bijou m'avait été offert par le baron puisque personne ne le savait. Je risquais la prison. J'aurais voulu récupérer le bijou et fuir cette boutique. L'orfèvre faisait lentement tourner le collier entre ses mains comme s'il réfléchissait au sort qu'il me réservait.

---

1. Bandits, voleurs.

— Je vous en donne dix thalers [1].

— Il en vaut beaucoup plus !

— C'est à prendre ou à laisser et estimez-vous heureuse que je ne prévienne pas la police !

Il ouvrit un tiroir et compta les pièces devant moi. Je ne le remerciai pas et quittai la boutique précipitamment. Mon cœur battait à tout rompre : l'humiliation et la peur en étaient la cause. En pénétrant dans la petite chambre que nous occupions à l'auberge, des sanglots nerveux me secouèrent. Mais lorsque Johann arriva, je m'étais calmée, j'avais bassiné mon visage d'eau fraîche et, en lui tendant l'argent, je lui annonçai :

— J'ai vendu un petit bijou que votre oncle m'avait offert.

— Vous n'auriez pas dû ! me gronda-t-il gentiment.

— De toute façon, il ne me servait à rien, et puis je n'aime pas les bijoux.

Il me serra contre lui et me posa un tendre baiser sur le front. Cela me paya largement de ma peur et de ma honte.

Pendant quinze jours supplémentaires, nous eûmes un toit et nous mangeâmes à notre faim. Hélas, alors que novembre approchait, que le froid,

1. Un ouvrier gagnait cent cinquante thalers par an.

la pluie et le vent s'installaient, nous dépensâmes notre dernière pièce pour acheter du pain.

— Qu'allons-nous devenir ? m'inquiétai-je

— Demain, j'ai un important rendez-vous... Je suis certain que c'est la fin de nos soucis.

— Avec qui avez-vous ce rendez-vous ?

— Avec notre prince électeur Jean-Georges.

CHAPITRE

8

La nouvelle m'assomma, d'autant que Johann ajouta :

— J'aimerais que vous m'accompagniez. Votre présence me sera précieuse. Vous me donnerez du courage, et puis votre grâce et votre douceur ne pourront qu'influencer favorablement le prince.

Je lui désignai ma jupe fripée et salie, mes cheveux décoiffés et je me plaignis :

— Croyez-vous que, dans cet état, nous soyons autorisés à entrer au palais ?

— Non, il est vrai, et mon habit ne vaut guère mieux. Mais je connais en ville une boutique qui nous louera des vêtements de bonne tenue et des perruques à la dernière mode. Pour deux heures cela ne devrait pas nous coûter trop cher.

Soudain, je me rendis compte qu'il ne m'avait pas précisé la place qu'il allait solliciter et je m'en informai.

— Alchimiste, évidemment, me répondit-il, étonné par ma question.

— Alchimiste ?

— Oui. Je ne sais faire que cela, et c'est cela qui intéresse le prince.

— Voulez-vous dire que... que vous allez fabriquer de l'or ?

— Parfaitement. Et vous serez mon assistante.

— Je ne saurai pas. La chimie m'est étrangère.

— Il faudra feindre de tout savoir au contraire. Parce que si nous sommes engagés ensemble, notre avenir sera assuré.

Je lui promis d'agir au mieux.

J'eus beaucoup de mal à m'endormir. J'étais à la fois excitée à l'idée d'être présentée au prince électeur de Saxe, et angoissée parce que, ignorant tout de l'étiquette de la cour de Saxe, je craignais de commettre une faute. Je m'interrogeais sur la tenue à choisir : pas trop riche pour montrer que nous avions vraiment besoin d'une charge, mais pas trop simple non plus pour ne pas inspirer la pitié.

Au matin, nous nous rendîmes à la boutique où nous dépensâmes nos derniers thalers pour louer une jupe de soie, un bustier brodé d'une guirlande de fleurs, une cape et une perruque. La commerçante insista pour ajouter des rubans, de la dentelle, une broche d'estomac et un poinçon d'argent dans mes cheveux. Mais tout cela augmentait le prix de la location. Elle se frotta le menton et me lança d'un ton dédaigneux :

— Moi, ce que j'en dis... c'est pour que vous soyez à votre avantage... car il n'y a rien de plus déplaisant que de paraître misérable au milieu des courtisans qui vous regardent de haut !

Je restai ferme et refusai tout le superflu. J'aurais eu grande honte à m'endetter pour des colifichets. J'acceptai cependant la crème dont elle me couvrit le visage pour le blanchir et un peu de fard pour rosir mes joues et mes lèvres.

Johann choisit un pourpoint de soie verte, une chemise bouffante en fine batiste, des bas de soie, une perruque point trop longue et un chapeau à plume.

— Comment me trouvez-vous ? me demanda-t-il en tournant sur lui-même pour se faire admirer.

Il était magnifique. Ce costume le transformait. La blouse noire qu'il affectionnait au point de la porter alors qu'il n'avait plus de laboratoire lui donnait une allure de sorcier qui me déplaisait. Je modérai cependant mon enthousiasme pour lui répondre calmement :

— Vous avez l'air d'un parfait gentilhomme.

— Et vous, vous êtes une charmante demoiselle de bonne famille.

De retour dans notre chambre, il roula le creuset dans une étoffe, fourra dans ses poches quelques boîtes contenant des poudres et nous partîmes pour le château. Fort heureusement, celui-ci n'était pas loin, car nous n'avions plus les moyens de louer une voiture. Johann et moi tenions le haut du pavé [1] afin de ne point gâter nos souliers et le bas de ma robe dans les eaux usées qui ruisselaient dans le milieu.

Le château ne ressemblait en rien à celui de Versailles. La façade était largement décorée de sculptures sans relief véritable, comme collées sur les murs. Je le jugeai moins majestueux, moins beau, mais je n'en pipai mot.

Nous donnâmes notre nom à un garde et nous attendîmes dans une antichambre. Nous étions les premiers. Il faut dire que Johann m'avait tant pressée afin que nous ne soyons pas en retard que nous avions trois heures d'avance. Petit à petit pourtant,

---

1. Les rues étaient en pente afin de drainer les eaux usées vers le milieu. Les gens de condition marchaient dans le haut du pavé, laissant le ruisseau aux plus pauvres.

la pièce, qui était assez exiguë, se remplit si bien qu'il devint difficile de respirer. Les parfums, l'odeur des poudres me montaient à la tête, et je craignis un moment de tomber en pâmoison. Les dames s'éventaient, mais je n'avais point d'éventail. Elles étaient toutes somptueusement vêtues, portaient bijoux, perruques empanachées de plumes et de rubans, et les hommes n'avaient rien à leur envier.

Enfin, alors que la pièce était pleine à craquer, un majordome entra. Les conversations s'arrêtèrent immédiatement. Il prononça un nom d'une voix de stentor comme s'il craignait de ne point être entendu. La personne désignée sortit. Quelques minutes plus tard, le majordome entra à nouveau et prononça un autre nom... Les sorties se succédaient à une bonne cadence. Je me demandais même comment en si peu de temps le prince pouvait écouter la requête et lui apporter une réponse, sauf s'il agissait comme notre Roi Louis, qui répondait à chacun : « Je verrai », ce qui lui évitait de prendre une décision sur-le-champ.

La pièce commença à se vider. Tous ces gens avaient sans doute des titres de noblesse, des charges ou des qualités qui leur avaient permis de passer devant nous qui, bien qu'étant arrivés les premiers, n'étions rien. Je chuchotai à l'oreille de Johann :

— Êtes-vous certain d'avoir obtenu une audience ?

— Certain.

Alors que nous n'étions plus que trois dans la salle, le majordome annonça :

— Monsieur Johann Böttger !

Nous le suivîmes. J'étais si impressionnée que mes jambes flageolaient. Nous pénétrâmes dans une vaste pièce dont les hautes fenêtres donnaient sur un jardin. Les murs étaient tendus de soie rouge et or, et des tableaux retraçaient les victoires des Wettin [1]. Le prince électeur, assis dans un vaste fauteuil, était entouré de quelques-uns de ses ministres, enfin je le supposai. Je lui fis une profonde révérence.

— Alors, jeune homme, commença-t-il, il paraît que vous avez découvert le secret de la Pierre philosophale ?

— Presque, Monseigneur. Je travaille depuis longtemps sur ce sujet, mais alors que j'étais près d'aboutir, j'ai dû quitter mon laboratoire pour de sordides histoires de famille. Pourtant, j'ai déjà réussi quelques transmutations d'argent en or.

Je gardai ostensiblement les yeux baissés, tremblant de tous mes membres en entendant le discours de Johann. Était-il devenu fou pour soutenir

1. Dynastie de Saxe à laquelle appartient Jean-Georges IV.

avoir déjà réussi ? Nous risquions d'être emprisonnés, torturés et tués comme de vulgaires sorciers !

— Avez-vous des preuves de ce que vous avancez ?

— Certes, Monseigneur. Il suffit que vous fassiez activer le feu qui brûle dans la cheminée, et je vous démontrerai que je ne suis pas un charlatan.

Le prince donna des ordres. Un valet vint ajouter une bûche dans la cheminée. Johann y plaça son creuset, puis il attisa les flammes avec un soufflet jusqu'à ce que le récipient devînt incandescent.

Tous suivaient les gestes de Johann dans un silence religieux. Moi-même, la gorge sèche, je ne le quittais point des yeux, priant pour qu'il réussisse ou pour qu'un événement imprévu nous tire de ce mauvais pas.

— Monseigneur, demanda Johann, voulez-vous mettre dans le creuset quelques pièces d'argent ?

Le prince électeur fit signe à l'un de ses familiers, qui lâcha, à regret me sembla-t-il, cinq pièces d'argent dans le récipient chauffé à blanc. Les pièces commencèrent à fondre lentement. Johann souffla encore sur le feu, et elles parvinrent bientôt à l'état liquide. Johann sortit alors de sa poche un papier plié.

— Voici le dernier atome de poudre de projection qu'il me reste. Je l'avais soigneusement gardé pour vous prouver ma bonne foi.

Comme le prince électeur s'avançait vers la cheminée, il lui conseilla :

— Monseigneur, veuillez vous écarter un peu, je vous prie, car la transmutation génère de petites explosions susceptibles d'occasionner de graves brûlures.

Le prince recula.

D'un geste théâtral, Johann laissa tomber la poudre sur l'argent fondu, il agita le creuset et aussitôt des crépitements se firent entendre ainsi que quelques détonations. Une odeur curieuse se répandit dans la pièce.

Un vague mouvement d'effroi se produisit dans l'assistance muette.

Johann paraissait très concentré sur son action et comme habité par l'esprit de la science.

— C'est une manipulation particulièrement dangereuse, expliqua-t-il, et qui ne doit être exécutée que par des personnes initiées.

Dès que les crépitements cessèrent, Johann versa le métal en fusion dans un pot graissé de suif qu'il avait demandé qu'on lui apportât, puis il s'exclama :

— Voilà, Monseigneur, du bel or pur qui est de trois fois le poids de l'argent que vous m'avez remis.

Le prince s'approcha, examina longuement le contenu du pot et conclut :

— C'est ma foi vrai, c'est bien de l'or !

Les six personnes présentes s'approchèrent à leur tour, plongèrent leurs yeux incrédules dans le récipient, murmurèrent et poussèrent quelques cris de surprise. L'une d'elle avança le doigt vers le métal jaune. Johann s'interposa aussitôt :

— Attention, messire, le métal est encore brûlant !

J'étais aussi stupéfaite que les autres mais je tâchai de ne point le montrer. Mon incrédulité me fit honte. Johann était un grand alchimiste. Je lui glissai un regard empli de fierté et d'un autre sentiment aussi, qui me parut être de l'amour.

— Eh bien, monsieur Böttger, vous m'avez convaincu. Je vous prends à mon service. Je vais ordonner l'installation d'un laboratoire dans une aile du château, et vous aurez pour tâche de découvrir la Pierre philosophale afin de transmuter en or tous les vils métaux.

— Je vous remercie, Monseigneur, vous ne serez pas déçu. Bientôt, vous serez le monarque le plus riche du monde.

Le prince électeur, souriant, se tourna vers ses ministres :

— Voici la fin de nos soucis, messieurs. Dans quelques mois les caisses de l'État seront pleines d'or !

Certains ministres adoptèrent la même mine réjouie que leur prince, mais quelques autres étaient plus dubitatifs.

— Pour l'heure, vous êtes mon invité et mon protégé, monsieur Böttger, car il est hors de question que quelqu'un d'autre que moi profite de votre savoir.

— Je suis très honoré de votre hospitalité, mais se pourrait-il qu'elle s'étende à Mlle Éléonore d'Aubeterre, qui est mon assistante ? Sans elle, je ne peux mener à bien aucune expérience.

— Puisque tel est votre souhait, j'accepte que cette demoiselle reste à vos côtés.

D'un geste, le prince signifia que l'entretien était terminé. Son valet ouvrit la porte et, après que j'eus fait une révérence et que Johann se fut incliné très profondément, nous sortîmes de la pièce.

9

Les yeux de Johann pétillaient de joie.

Nous nous frayâmes un passage parmi tous les courtisans qui, n'ayant pu obtenir d'audience, attendaient que le prince sorte pour lui tendre un placet, lui glisser un compliment ou une requête, ou simplement être vu de lui.

À présent plus détendue, je goûtais le plaisir de déambuler dans un lieu si fastueux et j'admirais les tableaux, les tapisseries, les tapis, les flambeaux d'or et d'argent, et les énormes vases en porcelaine de Chine posés sur des colonnes de marbre. Je n'avais jamais vu de porcelaine. Mais j'avais entendu dire que c'était une matière aussi chère et précieuse que l'or parce que seule la Chine produisait des pièces d'une telle finesse et d'une telle transparence. Johann s'arrêta lui aussi pour contempler un magnifique vase décoré de motifs orientaux.

— Il paraît que notre prince possède l'une des collections de porcelaine chinoise les plus importantes d'Europe. Il ne sait pas résister à leur attrait et se ruine pour les acquérir. De nombreux bateaux partent en Orient pour en acheter et reviennent les cales pleines de ces objets aussi précieux que fragiles. Souvent, ils sont interceptés par des pirates, ce qui vaut à notre prince ses pires colères !

Lorsque nous arrivâmes devant la porte donnant sur les jardins, un garde s'interposa :

— Vous êtes bien M. Böttger et Mlle d'Aubeterre ?

— Parfaitement, lui répondit Johann tout sourires.

— J'ai reçu l'ordre de ne point vous laisser sortir, continua le garde en croisant sa hallebarde avec celle de son compagnon.

— Comment cela ? s'offusqua Johann.

— Je n'ai pas d'explication à vous fournir.

À ce moment-là, un des hommes qui avaient assisté quelques instants plus tôt à notre entretien avec le prince vint à nous.

— Sa Seigneurie le prince Jean-Georges ne veut pas que vous quittiez le château, nous annonça-t-il.

— Serions-nous prisonniers ?

— Non point. Vous êtes assignés à résidence dans une aile du château. Le prince n'a pas envie que vous livriez votre secret à d'autres que lui.

— Ce n'est pas mon intention, mais il nous faut au moins aller quérir nos effets et régler nos affaires en cours.

— C'est inutile. Nous les réglerons à votre place. Pour le reste, ne vous souciez de rien, le prince subviendra à tous vos besoins pourvu que vous vous mettiez au travail sans tarder.

Je lançai à Johann un regard un peu inquiet, mais il ne se départit point de son souris.

— Dans ce cas... soupira-t-il.

— Je vais vous faire conduire dans votre chambre, qui sera attenante à votre laboratoire. Le prince a déjà donné des ordres pour qu'il soit équipé le plus vite possible.

Bientôt, après avoir monté puis descendu plusieurs escaliers et traversé de nombreuses pièces, nous nous retrouvâmes dans une aile reculée du château. Le valet qui nous accompagnait ouvrit une porte et nous pénétrâmes dans notre nouveau domicile. La pièce, ronde et pas très grande, était percée d'une meurtrière car nous étions dans une ancienne tour médiévale. Une cheminée occupait un pan de mur. Aucune tapisserie n'agrémentait les murs vides, aucun tapis ne réchauffait le sol inégal, et le mobilier était des plus restreints : un lit, une table, un chandelier et deux fauteuils.

Cet unique lit m'affola, et je questionnai le valet :

— Et moi, où dormirai-je ?

Surpris, il lâcha en désignant le lit :

— Là.

— C'est hors de question ! M. Böttger et moi ne sommes pas mariés... Je ne suis que son... assistante, et...

— Je n'ai pas reçu d'ordre pour vous. On m'a dit de vous conduire dans cette pièce. Je l'ai fait. Il faudra voir avec l'intendant... Mais il n'y a plus une pièce de libre. Des marquis, des duchesses, des comtes s'entassent à trois ou quatre dans des chambres à un lit pour avoir le privilège de dormir au château... alors vous...

Je compris que nous n'aurions pas mieux et cela me désola.

Dès qu'il fut sorti, Johann me prit les deux mains et m'entraîna dans une sorte de ronde comme affectionnent les enfants en fredonnant sur la musique d'une comptine :

— Nos soucis sont finis, finis, finis ! Car je vais trouver l'or, l'or, l'or ! Et nous serons riches, riches, riches !

Je me laissai gagner par sa bonne humeur. J'avais besoin de rire, de croire que l'avenir serait meilleur et que mon départ de Saint-Cyr n'avait pas été vain.

Si nous devenions riches, je pourrais payer les dots de mes sœurs et revenir en France... quoique, depuis quelques jours, il me paraissait que cette envie n'était point si impérieuse... Johann était si attachant !

À bout de souffle, il s'arrêta et me dit :

— Ne soyez point en souci : ce soir, je dormirai dans un fauteuil et, dès demain, je me mettrai en quête d'une paillasse.

On frappa à la porte. Un vieil homme portant la livrée du prince et une toute jeune fille entrèrent :

— Nous sommes à votre service, nous annonça le vieil homme. Je me nomme Franz et voici Bertha.

— Ah ! s'exclama Johann, je vois que le prince me traite à ma juste valeur et, ma foi, c'est fort agréable. Nous allons être ici comme coqs en pâte !

Puis il s'adressa au domestique :

— Franz, pouvez-vous aller quérir du bois pour nous allumer un bon feu, des chandelles, et aussi me chercher une paillasse ?

— Bertha, occupez-vous de cela, ordonna le vieil homme à la soubrette avant d'ajouter à notre intention : Je dois rester devant votre porte.

— Comment cela ? s'étonna Johann.

— Ce sont les ordres de Sa Seigneurie.

Nous étions prisonniers et point du tout des invités de marque du prince comme la naïveté de Johann le lui avait fait penser.

Refusant de voir la réalité en face, il enchaîna :

— Savez-vous dans quelle pièce et à quelle heure le souper sera servi et s'il y aura un divertissement ?

— Bertha vous apportera le souper et vous n'êtes point conviés aux divertissements.

— Alors là, explosa Johann, c'est trop fort ! J'apporte au prince le secret de la transmutation de l'or, et voilà comment on me traite !

— Je rappelle à Monsieur que vous n'avez point encore la Pierre philosophale et que vous êtes ici pour la trouver. Sa Seigneurie mettra tout en œuvre pour vous aider, mais elle souhaite protéger votre découverte en vous gardant au secret.

Je compris, au langage employé par Franz, qu'il n'était pas un vulgaire domestique mais certainement un homme proche du prince, que celui-ci avait placé près de nous pour nous espionner.

Humilié et emporté par sa colère, Johann reprit :

— C'est ignoble ! Je refuse de travailler dans ces conditions !

— Je crains, Monsieur, que vous n'ayez pas le choix.

Une sourde angoisse monta en moi. Dans quel guêpier étions-nous tombés ? Sentant mon inquiétude, Johann me rassura :

— C'est certainement une méprise. Tout va s'arranger, je vous l'assure.

CHAPITRE

10

Comme promis, dans la pièce attenante à notre chambre, Johann eut un laboratoire complet.

— Je n'ai jamais possédé autant de cornus, de creusets, de fioles, de tubes, sans compter que le prince a mis à ma disposition tous les ingrédients que j'avais réclamés, soufre, vif-argent [1], arsenic, salpêtre, vitriol et poudres diverses. Le tout d'excellente qualité ! s'enthousiasma-t-il.

On aurait dit un enfant à qui l'on venait d'offrir des jouets.

Et toujours comme promis, nous n'eûmes à nous soucier de rien.

1. Mercure.

Bertha nous apportait de l'eau pour la toilette ainsi que les repas, qui arrivaient froids car nous étions fort éloignés des cuisines. Elle avait fait monter un nouveau lit pour Johann, s'occupait du ménage, lavait le linge et me servait de cámeriste, m'aidant à me coiffer et à m'habiller. Peu de temps après notre installation, elle était venue avec un nouveau jupon, des bas, une jupe de soie bleue et un bustier assorti ainsi qu'une nouvelle tenue pour Johann.

— C'est l'intendant qui vous offre ses vêtements, nous apprit-elle.

— Vous le remercierez de notre part, lui répondis-je.

Mais j'avais honte de dépendre de la charité de quelqu'un pour me vêtir. Il me parut même que ce que l'on m'avait offert avait déjà été porté, et ce fut un déshonneur supplémentaire.

Johann à qui j'en fis la remarque éclata de rire.

— Voilà bien des préoccupations féminines ! Vous accordez trop d'importance aux chiffons, ma chère, et cela m'étonne de vous qui êtes une belle âme ! Quant à moi, je me moque bien de ce que j'ai sur le dos ! L'essentiel est que je puisse conduire mon travail jusqu'au succès !

Il avait raison, et je me reprochai ma frivolité. Mais je n'avais pas, comme lui, l'esprit tout le jour occupé par la science et je m'ennuyais fort.

Par la fenêtre du donjon, j'entrevoyais un coin de ciel et un coin de verdure, mais pas âme qui vive.

Parfois, Johann m'appelait pour que je participe à ses expériences. Cependant, l'instruction que nous avions reçue à Saint-Cyr faisait abstraction de la chimie et de la physique, et nous n'avions qu'un aperçu réduit des mathématiques. J'étais donc assez ignare. Johann entreprit avec patience de m'inculquer quelques rudiments et cela me passionna.

— Voyez, m'expliquait-il, si l'on mélange cette poudre noire avec cet esprit de soufre, il va se produire une petite détonation qui... Attention, éloignez-vous un peu...

La détonation me faisait sursauter, mais j'avais hâte de la reproduire par moi-même.

J'appris ainsi les propriétés du vif-argent, du sel physique, du salpêtre, du vitriol, de l'apy et de nombreuses autres substances. Souvent j'étais chassée de la pièce par des odeurs insupportables. J'avais les yeux rougis par des fumées acides, je toussais, je crachais. Johann se moquait :

— Ah, vous les femmes, vous n'êtes pas capables de résister aux petits désagréments de la recherche !

Parfois, c'était lui qui quittait le laboratoire au bord de l'asphyxie et c'était moi qui plaisantais :

— Et alors, monsieur l'alchimiste, vous ne résistez pas mieux que moi aux petits désagréments de la science !

Nous passions par des phases d'exaltation lorsque après de savants mélanges de diverses poudres et huiles, nous obtenions une crème proche du rouge.

— Il se pourrait bien que ce soit notre pierre, me disait-il alors, les mains tremblantes, car elle est rouge comme le sang du Christ. C'est ainsi qu'elle est décrite dans le *Livre d'Abraham le Juif*... le précieux manuscrit de Nicolas Flamel qui a disparu...

L'espoir nous faisait danser et rire. Johann laissait sécher la crème jusqu'à obtenir une poudre, qu'il mêlait à du plomb fondu à blanc, et nous attendions. Mais le plomb restait une masse noirâtre au fond du creuset.

— J'ai dû commettre une erreur... infime sans doute... Je vais recommencer. Allez donc vous reposer, ma mie.

Un jour, alors que je lisais dans la chambre, une violente détonation retentit. Je me précipitai dans le laboratoire, craignant le pire. Le visage noirci, une mèche de cheveux roussie, Johann me sourit :

— Ce n'est rien, un mauvais dosage... J'approche de la solution !

— N'oubliez point la prudence !

— Il faut l'oublier, au contraire. On peut avoir de bonnes surprises en essayant les mélanges les plus étonnants.

— On peut aussi y perdre la vie.

Il lui arrivait de s'enfermer plusieurs jours de suite dans son laboratoire sans solliciter mon aide. Il me semblait alors qu'il préférait ses creusets et ses poudres à ma compagnie. Je n'osais le lui reprocher, sachant combien il était important pour lui, pour nous, qu'il découvrît le secret de la Pierre philosophale, mais ces journées sans lui étaient tristes et mornes.

Le soir, lorsqu'il quittait enfin son antre, c'était pour me parler de ses savants mélanges, de ses expériences, de ses doutes, quand il ne s'endormait pas fourbu dans un fauteuil.

Parfois, il me demandait :

— Et vous, chère Éléonore, qu'avez-vous fait aujourd'hui ?

J'aurais bien voulu lui répondre : j'ai écouté les violons, je me suis promenée dans le parc, j'ai rendu visite à une amie, je suis allée choisir un nouveau chapeau. Mais afin de ne pas le contrarier avec mes humeurs chagrines, j'affirmais d'un ton gai :

— Oh, rien d'important, j'ai rêvé, j'ai lu...

— Quelle chance vous avez !

Et voilà bien les hommes ! Qualifier de chance un ennui qui me rongeait !

Fort heureusement, j'entretenais avec Bertha de bonnes relations. Elle me contait les menus événements du dehors, les potins et les scandales qui émaillaient la cour. J'appris ainsi que l'épouse du prince portait le même prénom que moi, qu'elle avait six ans de plus que son mari, que ce dernier se moquait de cette différence d'âge car il ne s'agissait que d'un mariage de raison. Il était très amoureux de la jeune et belle Sybille-Madeleine, à laquelle il venait d'offrir un petit château Renaissance au bord de l'Elbe où les deux amants se retiraient dès que possible.

— Il paraît que, dans sa jeunesse, notre Roi Louis a eu lui aussi de nombreuses maîtresses, dis-je à Bertha. L'âge l'a conduit à la sagesse. Il en sera sans doute de même pour votre prince électeur.

— En attendant, notre princesse essaie d'oublier son malheur dans les livres. Je tâcherai de vous en apporter quelques-uns.

Elle me fournit ainsi en romans, dont la plupart étaient français. Après avoir dû, à Saint-Cyr, me séparer de tout ce qui n'était pas lectures pieuses [1], la découverte des romans m'enchanta. Je me plongeai avec délectation dans *Le Grand Cyrus*, *L'Astrée*, *Polexandre*, et j'y découvris le véritable sens du mot « amour ». C'était ainsi que je voulais vivre : dans la passion, l'aventure, et tout sacrifier pour l'être aimé.

---

1. Voir le tome 5, *Le Rêve d'Isabeau*.

Ce sont ces romans qui me permirent de supporter ces longues journées d'enfermement.

Tous les quinze jours, le mercredi, Franz nous annonçait :

— Préparez-vous, le prince vous accorde une audience.

En fait, c'était une façon élégante de nous dire que le prince voulait avoir des nouvelles de la fabrication de son or.

Pendant quelques instants, la monotonie laissait la place à l'effervescence. Bertha me coiffait, me poudrait. Il était inutile de me blanchir le teint d'une crème car, ne voyant plus le soleil, ma peau était devenue parfaitement blanche.

— Votre teint est d'une pureté incroyable, me félicita Bertha.

Mais ce compliment me laissa de marbre : qui eût pu remarquer la blancheur de mon teint ? Personne. Le seul qu'il m'aurait plu de séduire, Johann, n'était intéressé que par ses fioles ! Je passais une tenue présentable, toujours la même, que Bertha entretenait entre deux rendez-vous pour éviter qu'elle ne se défraîchisse. Johann enfilait les seuls justaucorps, bas et veste qui n'avaient pas été brûlés, tachés ou déchirés lors de ses manipulations, et nous emboîtions le pas à Franz.

— Ah, enfin sortir de cette prison ! m'étais-je réjouie la première fois.

— Voyons, avait protesté Johann, vous exagérez !

— Ah, oui, et comment appelez-vous ce lieu où nous sommes enfermés sans pouvoir mettre le nez dehors ?

Il avait haussé les épaules en fronçant les sourcils. Je n'avais pas insisté car je le savais inquiet de devoir rendre compte de l'avancée de ses travaux devant le prince.

Nous ne croisions jamais personne dans les pièces. À croire qu'elles avaient été vidées de leurs occupants avant notre passage. Parfois, j'apercevais quelques gentilshommes ou des dames de loin, mais aucun ne nous adressa la parole. C'était frustrant et assez déroutant.

Après la solitude de notre tour j'aurais volontiers échangé un mot ou un simple sourire avec une dame de la cour. Pourquoi donc nous évitait-on ? Nous faisait-on passer pour des méchants ? Des malades en quarantaine ? Des gens de basse condition ?

Lorsqu'un jour j'interrogeai Franz, il grommela :

— N'y prêtez point attention.

C'était facile à dire mais impossible à mettre en pratique.

Le prince nous recevait dans un petit salon tendu de soie bleue avec trois ou quatre de ses proches. Je plongeais dans une profonde révérence et je demeurais au fond de la pièce tandis que Johann s'avançait vers lui pour le saluer.

Lors de la troisième entrevue, alors qu'il y avait plus de trois mois que nous étions enfermés dans la tour, le prince s'adressa à Johann d'un ton que l'impatience rendait cassant :

— Alors, monsieur, où en êtes-vous ?

— J'avance, Votre Seigneurie, j'avance.

— Dans combien de temps aurez-vous réussi cette transmutation en or ?

— Je ne saurais le dire avec précision... Si tout fonctionne comme prévu, cela pourrait se concrétiser prochainement.

— Faites vite, monsieur. Le trésor royal s'épuise et je compte sur vous pour le renflouer.

— Vous pouvez, Votre Altesse.

— Je l'espère. Vous savez le sort réservé aux charlatans ? La mort ! Je serai sans pitié.

Johann inclina la tête sans répondre.

Je fis la révérence tandis que mon esprit répétait : la mort, la mort... Une sueur froide coulait dans mon dos et mes jambes menaçaient de se dérober sous moi.

Nous fûmes reconduits à travers le dédale de salons, d'antichambres, d'escaliers, jusqu'à la cime de la tour médiévale.

Dès que nous fûmes seuls, j'interrogeai Johann avec anxiété :

— Êtes-vous certain de réussir ?

— Je le suis !

— Mais alors qu'attendez-vous ?

— Ma chère amie, si la découverte de la Pierre philosophale était à la portée du premier venu, le monde entier serait riche et plus personne ne mourrait ! Au contraire, c'est une recherche minutieuse qui exige courage, patience et longueur de temps.

— J'entends bien, mais le prince est pressé et...

— La précipitation est l'ennemie de la science.

— Sans doute, mais qu'adviendra-t-il de vous si vous ne lui donnez pas satisfaction ?

— Je vais réussir. N'avez-vous plus confiance ?

Il me prit dans ses bras, me cajola, m'embrassant les mains avec fougue. J'avais tant besoin d'être rassurée et aimée, que je m'enhardis à lui céder mes lèvres. Il les dévora. La passion que j'avais retenue par décence et sagesse me submergea et nous passâmes ensemble notre première nuit d'amour.

Au matin, rouge de honte, je me levai pour que Bertha ne nous surprît pas. Johann bâilla, s'étira et me dit :

— Il y a si longtemps que j'attendais cet instant. J'ai cru que vous ne m'aimiez plus.

— Je... je n'aurais pas dû... nous ne sommes pas mariés et...

— Là n'est pas la question. M'aimez-vous ?

— Oui, je vous aime, mais...

— Alors, sûr, votre amour va me donner des ailes et je gage que je vais découvrir sous peu le secret de la Pierre !

— Puissiez-vous dire vrai... car j'ai bien peur que sinon...

— Taisez-vous ! Ce matin est si beau que rien ne doit le ternir. D'ailleurs, je file dans mon laboratoire.

Il m'embrassa tendrement avant de quitter la pièce.

Je passai une divine journée, la première depuis longtemps à rêver que Johann allait réussir, que nous allions devenir riches, nous marier... Le prince le nommerait comte ou marquis et nous serions reçus à la cour.

11

Rien ne se passa comme dans mes rêves.

L'hiver cédait la place à un printemps timide. J'apercevais les bourgeons gonflés de sève à travers la fenêtre, et le chant des oiseaux m'était une agréable musique.

Plusieurs fois, Johann fut aux portes de la découverte. Il avait demandé qu'on lui apportât des rats, des grenouilles, des serpents, des araignées, des corbeaux et même des scorpions.

— Les onguents et les poudres les plus performants sont à base d'animaux. Mais il faut découvrir si l'on doit utiliser leur sang, leurs os, leurs excréments, leurs plumes, leur peau...

Il travailla plus de deux mois à les saigner, les sécher, les disséquer, les plumer, les démembrer. Après une nuit de veille, il s'exclama au matin :

— Je crois que je tiens l'élixir de jouvence...

— C'est merveilleux !

— Je vais le tester.

— Sur vous ?

— J'hésite... parce qu'il m'ennuierait beaucoup de redevenir un enfant... Je veux rester un homme pour vous aimer comme vous le méritez. Je vais commencer à en faire absorber une petite quantité au plus vieux rat en ma possession.

Ce qu'il fit aussitôt.

J'assistai à l'expérience. Johann ouvrit la gueule du rat, y introduisit la mixture. Anxieux, nous attendîmes de voir s'il se transformait en raton. Las, dix minutes plus tard, il fut agité de soubresauts et mourut.

Quelle déception !

— Seigneur, se lamenta Johann, encore un échec !

— Peut-être vous manque-t-il un ingrédient ? suggérai-je.

Il réfléchit un bon moment, puis, levant les yeux sur moi, il s'écria avec exaltation :

— Vous venez de me donner une piste de travail ! L'or est un produit noble, rare et cher, n'est-ce pas ?

— Certes.

— Alors pensez-vous normal que l'on puisse transmuter le plomb en or avec des ingrédients aussi vils que de la bave de crapaud, des plumes de corbeau, de la peau de serpent ou des os de rat pilés ?

— Heu... non, en effet !

— Si c'était le cas, tous les apothicaires d'Europe auraient déjà réussi cette transmutation et seraient riches !

— Vous avez raison.

— Alors, pouvez-vous me dire quels sont les pays où l'or est le plus abondant ?

— Je l'ignore, mon ami.

— Les pays d'Orient ! C'est là-bas qu'il y a des pagodes recouvertes d'or pur, des statues énormes en or véritable ! Et pourquoi ? Pourquoi ? s'échauffait-il.

Je restai muette.

— Parce que c'est dans ces pays-ci qu'il y a des bêtes fabuleuses ! Les grands navigateurs en ont parlé ! Des éléphants, des rhinocéros, des lions, des panthères... voilà de nobles animaux ! Et ce sont eux qui, à mon avis, fournissent les bons éléments pour la transmutation !

— Mais nous n'avons pas ces bêtes chez nous !

— Je vais chercher des équivalences... Il doit y en avoir... Ou alors, il faudra que je m'embarque pour le Siam... ou pour les Indes Orientales...

Il demeura songeur plusieurs jours, échafaudant des projets de départ qui m'inquiétaient, puis devant l'improbabilité d'obtenir l'autorisation de partir, il reprit ses expériences pour découvrir des équivalences.

Un mercredi, alors que j'étais prête pour assister à l'audience accordée par le prince, Franz me dit simplement :

— À l'avenir, le prince ne veut voir que M. Böttger.

On me priva ainsi de la seule occasion de quitter notre chambre et cela m'affecta.

Je m'inquiétai : avais-je déplu au prince ? En quelle occasion ? Ne me jugeait-il pas assez bien mise pour paraître devant lui ? J'eus beau me poser cent fois les mêmes questions et les poser à Bertha et à Franz, aucun d'eux ne put me fournir une réponse.

J'attendais donc, chaque fois avec une grande inquiétude, le retour de Johann.

Et plus le temps passait, plus il revenait abattu.

La dernière fois, il était dans un tel état que je l'entourai de mes bras et le berçai comme un enfant.

— Je n'ai plus qu'un mois pour réussir, lâcha-t-il enfin, sinon...

— Sinon ? l'encourageai-je, tout en redoutant la suite.

— La mort.

Je poussai un cri et je fondis en larmes.

— J'ai assuré au prince que vous n'étiez point responsable de mon échec et je l'ai supplié de vous épargner. Il m'a donné sa parole.

— Mais sans vous, la vie m'est insupportable. Il faut nous sauver tous les deux !

— Comment, ma bonne amie ? Vous l'avez dit vous-même lorsque nous sommes entrés dans ces lieux. Nous sommes prisonniers. J'ai ri de vos craintes... mais c'est vous qui aviez raison. J'étais si certain de réussir que...

— Peut-être pourriez-vous profiter de votre pro-chain entretien pour fausser compagnie à Franz, traverser les pièces en courant, vous précipiter dans le parc et fuir.

— Et vous abandonner ici ? Jamais !

— Je ne risque rien, je ne suis pas alchimiste !

— Hélas, j'ai affirmé au prince que vous étiez une assistante précieuse. Il pourrait vous retenir prisonnière et même vous torturer pour m'obliger à revenir. Non, ce n'est point la bonne solution.

— En voyez-vous une autre ?

— Je vais me remettre au travail. Je ne dormirai plus et ne mangerai point tant que je n'aurai pas découvert cette Pierre philosophale. Il faut que je la trouve. Il le faut !

Son regard s'alluma d'une curieuse lueur et il alla s'enfermer dans son laboratoire.

Je ne le vis pas pendant plusieurs jours.

Je frappais à sa porte à l'heure des repas, mais il criait à travers l'huis :

— Je n'ai pas faim !

Et alors que la nuit était tombée depuis long-temps, je frappais encore à la porte pour lui conseiller de se reposer, mais il me répondait :

— Je n'ai pas sommeil !

Combien de temps allait-il tenir ?

Les romans ne m'intéressaient plus, les bavar-dages de Bertha m'agaçaient. Je marchais de long en large dans la pièce, guettant les bruits en prove-nance du laboratoire. À chaque minute j'espérais un cri de joie qui m'annoncerait la fin de nos ennuis. Mais j'entendais des gémissements, des cré-pitements, des glouglous, des chocs, des silences angoissants.

Une nuit, enfin, Johann quitta son laboratoire, une chandelle à la main. Il titubait, pâle, décharné, et tomba sur le lit en m'annonçant d'une voix atone :

— Je suis un homme mort.

Je le serrai contre moi pour l'apaiser, mais la situation était si catastrophique qu'aucun mot de réconfort ne me vint à l'esprit. Le prince n'avait pas la réputation d'être clément. Il n'épargnerait point Johann... quant à moi, quel sort me réservait-il ?

L'hiver avait été abominablement long, la lumière du jour pénétrait à peine dans notre donjon, où nous avions eu particulièrement froid. À ne point dormir, à manger à peine, la santé de Johann s'était dégradée. Le printemps 1694 s'installait sans que rien ne changeât pour nous, et j'étais au désespoir.

Un matin de fin avril, pourtant, je perçus, malgré l'épaisseur des murs, une curieuse effervescence. Il y eut d'abord les cloches de toutes les églises qui sonnèrent le glas. Quelle catastrophe pouvait-elle bien annoncer ? La guerre ? Le décès d'un membre de la famille princière ? Puis, j'entendis hennir des chevaux, rouler des carrosses, claquer des portes. Quelque chose d'anormal se passait. J'aurais voulu partager mon trouble avec Johann, mais il était dans son laboratoire et n'avait probablement rien entendu. J'attendis avec impatience l'arrivée de Bertha pour la questionner. Lorsqu'elle entra, c'est elle qui lança d'une voix nouée par l'émotion :

— Sa Seigneurie Jean-Georges vient de mourir.

Je ne savais pas encore si c'était pour nous une bonne ou une mauvaise nouvelle ni quelle était la position de Bertha vis-à-vis de son maître, aussi, je me contentai d'un laconique :

— Dieu ait son âme.

— Oh, il faudra beaucoup prier pour que Dieu l'accueille dans son paradis, car il est mort d'une bien étrange façon.

— Ah, oui ?

— Sa maîtresse Sybille-Madeleine von Neit-schütz est morte de la variole voici un mois, et notre prince, fou d'amour et désespéré, s'était jeté sur le corps de la défunte pour l'embrasser. La terrible maladie vient de l'emporter à son tour.

— Le malheureux.

— Tout le palais est en émoi !

Cette phrase percuta mon cerveau. N'était-ce pas l'occasion que nous attendions ? N'était-ce pas le bon moment pour fuir ? Comme si Bertha avait lu dans mes pensées, elle ajouta :

— Franz a été requis pour accueillir les nombreuses personnes qui viennent saluer la dépouille du prince.

— Voulez-vous dire qu'il ne garde plus notre chambre ?

— C'est cela.

Aussitôt, je tambourinai avec force contre la porte du laboratoire. Johann parut, un flacon à la main, les yeux rougis, hagard.

— Le prince est mort, lui annonçai-je. Il faut partir d'ici !

Il n'eut pas l'air de comprendre. Je répétai :

— Jean-Georges n'est plus ! Partons !

Il sembla brusquement s'éveiller d'une sorte de cauchemar.

— En êtes-vous bien certaine, Bertha ?

— Oui, Monsieur, il n'y a pas une minute à perdre.

— Dieu soit loué ! murmura-t-il.

— Partez vite ! nous ordonna Bertha. En bas de l'escalier, tournez à main gauche, vous éviterez ainsi tous les salons d'apparat. Dans la deuxième pièce, à côté de la cheminée, une porte dérobée s'ouvre sur un passage qui vous conduira derrière le bâtiment.

Je lui pris la main.

— Merci, Bertha, lui dis-je.

— Vite, courez, cachez-vous, quittez la région... on dit que notre nouveau prince électeur Frédéric-Auguste [1] a grand soif de richesses... alors lorsqu'il apprendra que son frère avait sous la main un faiseur d'or et qu'il s'est enfui, sa colère sera terrible !

Johann voulut emporter son creuset, quelques fioles, diverses poudres, mais je l'en dissuadai :

---

1. Frédéric-Auguste, dit Auguste II le Fort (1670-1736), devient électeur de Saxe en 1694 à la mort de son frère aîné, Jean-Georges IV.

— Si par malchance on nous arrête et que l'on trouve tout cela sur vous, c'en sera fait de nous ! Alors que si nous n'avons rien, nous prétendrons être des nobles désargentés venus saluer la dépouille de leur prince.

Il hésita. Je le pressai. Il se décida à regret à tout abandonner et nous quittâmes notre prison.

Lorsque nous fûmes dehors, je respirai à pleins poumons l'air qui m'avait manqué pendant ces longs mois. Puis, main dans la main, nous courûmes vers la sortie du parc. Personne ne nous prêta attention. Bientôt, nous nous fondîmes dans les rues de Dresde.

— Libres, nous sommes libres ! s'enthousiasma Johann.

CHAPITRE

12

Nous ne nous attardâmes pas dans les rues, car nous supposions que Bertha, après avoir facilité notre évasion, avait donné l'alerte afin qu'on ne la soupçonnât pas d'avoir été notre complice.

— Il faut quitter la Saxe, m'annonça Johann.

— Partons pour la France. Nous irons dans ma famille, mon père sera heureux de nous aider.

— C'est là que je veux aller. Le grand alchimiste Nicolas Flamel a vécu à Paris et c'est sans doute dans sa maison, ou chez ses proches qu'est caché le *Livre d'Abraham*. Celui qui contient la formule... Mais, pour l'heure, il est urgent de nous mettre hors d'atteinte des armées de Frédéric-Auguste. La frontière avec la Prusse n'est pas loin. Là-bas nous serons en sécurité.

— N'est-ce point dangereux de vouloir fuir dans un pays ennemi ?

— Hélas, si... mais à Dresde je peux être arrêté à tout moment. D'ailleurs, le plus sage est de nous séparer. Les ordres doivent être de rechercher un homme et une femme, et si nous ne sommes plus ensemble, vous avez toutes les chances d'en réchapper...

— Vous n'y pensez pas ! m'exclamai-je, terrifiée à cette idée, je ne veux point me séparer de vous, sauf... sauf si vos sentiments pour moi ont disparu.

— Ah, ma mie, ils n'ont jamais été aussi forts... et c'est justement pour vous sauver que je consens à cette séparation.

— Je refuse. Ou nous nous sauvons ensemble ou nous mourons ensemble.

Il m'embrassa fougueusement en pleine rue, ce qui n'était point du tout convenable. Des passants nous lancèrent des regards réprobateurs, des femmes détournèrent les yeux de notre couple. Ce n'était pas le moment de nous faire remarquer et, quoique l'étreinte fût douce, je me détachai de lui.

Il me guida dans une auberge dont il connaissait le propriétaire. Nous montâmes dans une chambre et il me dit :

— Attendez-moi. Je vais quérir un passeur.

— Un passeur ? Avec quoi allez-vous le payer ? Nous n'avons pas un thaler !

— N'ayez aucun souci. J'ai ce qu'il faut pour nous tirer d'affaire.

Je l'attendis. Mais j'avais été si longtemps enfermée dans notre tour que j'avais du mal à supporter l'étroitesse de la chambre, et l'envie de marcher à l'air libre me tenaillait.

Les heures s'écoulèrent. L'angoisse monta. Les idées noires se bousculaient dans ma tête : « Pourvu qu'il n'ait pas été renversé par un carrosse ou une charrette ! Pourvu qu'il n'ait pas été arrêté ! Je n'aurais pas dû le laisser sortir seul. J'aurais dû l'accompagner, l'aider, le secourir. S'il lui est arrivé malheur, jamais je ne me le pardonnerai ! »

La nuit était bien entamée lorsqu'il poussa doucement la porte. Je me jetai dans ses bras. Il m'expliqua qu'il avait eu du mal à trouver la bonne personne, mais qu'il avait enfin réussi à convaincre un passeur.

— Avec quel argent ? lui demandai-je.

— J'avais emporté un peu de poudre de transmutation. Je lui ai assuré qu'il pourrait transformer n'importe quel métal en or.

Incrédule, je balbutiai :

— Mais... vous-même n'avez jamais réussi...

— Il ne le sait pas.

L'attitude désinvolte de Johann me troubla... Il me parut soudainement que cette transmutation n'était peut-être qu'une comédie. Inquiète, je le questionnai :

— Johann, croyez-vous vraiment que... que cela soit possible ?

— Évidemment. Sinon, pourquoi userais-je mes forces dans cette recherche ? Mais je n'ai pas encore la bonne formule. Lorsque le passeur s'apercevra que ma poudre n'est pas au point, nous serons loin !

Son optimisme était communicatif, et je m'en voulus d'avoir douté un instant de ses capacités d'alchimiste.

— Quand partons-nous ?

— Deux heures après minuit.

— Déjà !

— Oui. Le passeur estime que le moment est favorable. La lune est noyée dans les nuages et l'avènement du nouveau roi a été fêté avec plusieurs tonneaux de bière... les gardes seront moins attentifs. Il a été un peu réticent quand je l'ai informé que je serais accompagné d'une jeune fille... mais j'ai fini par le convaincre... les cœurs les plus durs ne résistent pas à une belle histoire d'amour. Le chemin risque d'être accidenté, pénible et dangereux, vous sentez-vous prête ? Il est encore temps de refuser.

— Je pars avec vous ! affirmai-je avec force.

Pourtant quelque chose me gênait dans ce départ précipité. Avions-nous bien mis toutes les chances de réussite de notre côté ? Étions-nous sûrs du passeur ? Je fis part de mes craintes à Johann, qui les balaya d'un geste.

— Ce passeur m'a fait une excellente impression. Cependant, il ne m'a pas caché que ce serait difficile.

— Avec vous, j'irai jusqu'au bout du monde !

Nous restâmes enlacés jusqu'à l'heure prévue, puis nous descendîmes les escaliers le plus silencieusement possible. Pas question de réveiller l'aubergiste : nous n'avions rien pour le payer.

— Nous avons rendez-vous au pont Augustus. Il nous faut traverser la ville sans alerter la garde.

Nous cheminâmes, rasant les murs, nous cachant sous une porte cochère au moindre bruit suspect. Mon cœur battait la chamade. À chaque pas, je m'attendais à entendre le cri bref d'une sentinelle nous ordonnant de nous arrêter sous peine de mort.

La chance fut avec nous. Enfin, c'est ce que je crus. Nous arrivâmes devant le pont Augustus sans encombre.

— Nous y sommes, chuchota Johann d'une voix joyeuse.

Nous nous blottîmes contre le mur d'une bâtisse, puis, les mains en conque devant la bouche, Johann émit une sorte de ululement. C'était le signal. Le même ululement lui répondit. Moi, tous les sens en éveil, je scrutai la nuit.

Tout à coup, je perçus vers le pont comme un piétinement et, alors que Johann allait quitter notre cache, je lui dis :

— Il n'est pas seul. Fuyons !

— Le traître ! grogna-t-il.

Jugeant sans doute que nous ne nous montrions pas assez vite, des gens en armes jaillirent de l'ombre.

— Partez vite ! Je vais faire diversion pour vous donner le temps de fuir.

— Non ! Je reste avec vous !

— Ce serait folie ! Vous chercherez à ma place cette fameuse Pierre philosophale ! Pensez à tout ce que je vous en ai dit... à Nicolas Flamel, surtout ! Vite, ma vie est entre vos mains !

— Ils vont vous tuer !

— Non. Un alchimiste mort ne vaut rien... alors que vivant...

Les hommes du prince s'avançaient vers nous. Je n'hésitai plus et, lâchant la main de Johann, je m'enfuis. Johann partit dans le sens opposé. J'entendis alors des coups de feu, des cris, puis le silence. Je me retournai. Il était encerclé par la troupe. Des larmes d'angoisse m'aveuglèrent, mais je repris ma course. J'étais la seule à pouvoir le sauver et, pour cela, je devais d'abord me sauver moi-même.

Lorsqu'il me sembla que j'étais hors de danger, je me laissai tomber dans l'encoignure d'une maison pour reprendre mon souffle. J'étais à bout de forces, à bout de nerfs et, durant un instant, je pleurai toutes les larmes de mon corps.

Petit à petit, je recouvrai mon calme. Parce qu'il le fallait. Parce que j'avais une mission à accomplir et qu'il ne servait à rien de m'attendrir sur mon sort et le sien.

Maintenant, je devais trouver la Pierre philosophale.

Sitôt cette pensée formulée, l'ampleur de la tâche m'anéantit.

C'était un exploit irréalisable. Johann ne s'était pas rendu compte de ce qu'il me demandait. Je n'étais qu'une femme ; pire, une demoiselle sans appuis, sans amis et sans famille proche. Je n'y connaissais rien en alchimie. J'étais dans un pays étranger fort loin de la France. Je n'avais pas un thaler, pas un louis en poche. Cette entreprise était vouée à l'échec.

Pourtant, si j'échouais, cela signifiait la mort pour Johann...

Je n'avais pas le choix.

Je me levai avant que la rue ne s'éveillât, fermement décidée à mener à bien ma mission.

Comment ?

Je n'en avais pas la moindre idée et je comptais sur l'aide de Dieu et de la Providence.

La rue s'était mise à grouiller : porteurs d'eau, vendeurs de fagots, de lait, ramoneurs criaient pour attirer le chaland. Je quittai ma cachette. Le mieux était de me fondre parmi les petites gens. De toute façon, il aurait été fort présomptueux de ma part de prétendre être une demoiselle de la noblesse dans l'état où j'étais.

Pour le cas où l'on aurait exigé de Bertha et Franz qu'ils fassent une description précise de la façon dont j'étais vêtue, je décidai de changer d'apparence. Avisant la boutique d'un fripier, j'y entrai et proposai à l'homme qui m'accueillit de troquer mes vêtements contre d'autres plus modestes. Il tâta l'étoffe de ma jupe, reluqua les broderies de mon plastron et lâcha :

— Tout cela n'est plus guère neuf et bien sale !

— C'est de la belle soie, et en échange je ne souhaite qu'une jupe et un bustier de laine ou de drap usé.

Il repoussa son lorgnon sur le nez, hésita, osa soulever ma jupe pour examiner la dentelle de mon jupon. Je craignais qu'il n'exigeât des explications et qu'il ne devînt méfiant au point d'appeler la police.

— Je prends aussi le jupon, dit-il enfin.

Il ouvrit une malle, en tira une jupe de laine grise reprisée à plusieurs endroits et un bustier défraîchi, me les tendit en ajoutant :

— Cela vous convient-il ?

— Parfaitement.

Je me dévêtis derrière un paravent et je passai mes nouveaux effets.

— Tenez, ajouta-t-il, voici un bonnet de lin, il n'est plus tout jeune, mais il complétera votre tenue, car, si j'ai bien compris, vous ne voulez plus ressembler à une dame de la haute ruinée mais à une fille du peuple !

Je le regardai avec étonnement.

— Allez, faut pas vous tracasser, poursuivit-il, j'en vois tous les jours des gens dans votre situation.

Ainsi va la vie, et le malheur des uns fait le bonheur des autres, pas vrai ?

J'acquiesçai d'un mouvement de tête, après quoi je le saluai et quittai la boutique.

Je ne m'attardai pas dans le quartier : il était trop proche de l'endroit où avait été arrêté Johann. J'avançai dans les rues au hasard.

J'aurais donné tout ce que je possédais (c'est-à-dire rien du tout, je dois bien en convenir) pour connaître le sort de Johann. Je supposais qu'il était emprisonné. Mais où ? Dans quelle forteresse ? Dans quel donjon ? Comment avoir des informations sans me compromettre et sans risquer à mon tour d'être arrêtée ?

Je me raisonnai. Je devais lui obéir et rechercher cette Pierre philosophale afin de le sauver. Mais où était-elle ? Comment la dénicher ? Vers qui me tourner ? C'était la première fois que j'étais ainsi livrée à moi-même et ma solitude m'affola. Jusqu'à présent, j'avais été protégée par mes parents, puis par la Maison de Saint-Cyr, ensuite par le baron von Watzdorf, et enfin par Johann... Je devais maintenant affronter l'existence sans appui.

En serais-je capable ?

Johann m'avait conseillé de partir sur les traces de ce Nicolas Flamel. Je ne demandais pas mieux. Revenir en France me comblait, et il serait plus facile pour moi de mener l'enquête dans mon propre pays.

Mais comment m'y prendre ?

Il me fallait de l'argent. Rapidement.

J'étais arrivée devant une église alors que les fidèles y entraient pour assister à l'office.

Un mendiant tendait la main pour obtenir la charité. N'était-ce pas une solution ? Non, il m'était impossible à moi, Éléonore d'Aubeterre, de m'abaisser à mendier. C'était faire affront à mon père, qui s'était toujours conduit noblement, et oublier tout ce que l'on m'avait enseigné à Saint-Cyr. Pourtant, avais-je le choix ?

Je tergiversai pendant une heure, avançant d'un pas vers le porche, puis reculant. Mais lorsque les premiers fidèles se présentèrent sur les marches, je fis taire ma honte et, la tête rentrée dans les épaules pour ne pas croiser les regards de pitié ou de dédain, je tendis la main.

— Holà, qui t'es, toi, la donzelle ? m'invectiva sèchement le mendiant.

J'eus du mal à le comprendre car son langage n'était pas celui que m'avait appris mon professeur d'allemand. Je jugeai plus sage de ne point lui répondre. Mais cela l'énerva et il reprit :

— T'es pas du quartier, j't'ai jamais vue ! Alors fous le camp !

Il m'avait saisi le bras et me secouait pour me chasser tandis que les gens sortaient de l'église en nous évitant.

Soudain, une femme s'interposa :

— Voulez-vous bien lâcher cette pauvresse !

Cette voix ! C'était celle d'Elke.

Quel manque de chance ! Tomber sur une des rares personnes que je connaissais à Dresde et qui me détestait !

Rouge de confusion, je gardai ostensiblement le visage baissé en priant Dieu qu'elle ne me reconnût pas. Mais Il n'exauça pas ma prière, car elle s'exclama soudain :

— Éléonore ? Vous ici, et dans quel état !

Avant qu'elle ne m'humilie comme elle l'avait déjà fait en me chassant de sa demeure, je courus le plus loin possible de l'église. Je l'entendis cependant crier :

— Attendez !

Mais elle pouvait toujours appeler, je savais bien qu'elle était la dernière personne à vouloir me secourir.

Je repris mon errance dans les rues. La faim me tenaillait l'estomac, et je me dis qu'avant de chercher de l'argent pour le voyage, je devais en trouver pour me nourrir. J'avais bien compris que les mendiants de Dresde ne toléreraient point que je marche sur leurs plates-bandes.

Alors ?

Il me restait à proposer mes services comme femme de chambre dans une maison bourgeoise. N'ayant aucune lettre de recommandation, je pourrais prétendre avoir travaillé pour le baron von Watzdorf. J'aurais ainsi le gîte et le couvert. Toutefois il me faudrait patienter de longs mois avant de réunir l'argent du voyage. Et pendant ce temps-là, qu'adviendrait-il de Johann ?

J'étais désemparée. Les larmes me montaient aux yeux, mais, serrant les poings, je les refoulai. M'attendrir sur mon sort ne servirait à rien.

Cependant, l'idée de frapper aux portes des maisons pour solliciter une place me rebuta. Je n'y avais d'ailleurs point réussi quelques mois auparavant.

Je pensai alors demander l'aide d'un prêtre. Connaissant tous les fidèles de sa paroisse, il saurait me diriger vers la famille ayant besoin de mes services.

Je traversai la ville pour m'éloigner de la paroisse dont dépendait Elke.

Épuisée, affamée, j'entrai dans une église pour supplier Dieu de ne point m'abandonner. Pendant les six mois de mon enfermement au château du prince, je n'avais pas pratiqué ma religion, et pénétrer dans une église me procura un grand apaisement. Je priai avec ferveur et je décidai aussi de me confesser. J'ouvris ainsi mon cœur au prêtre sans lui parler de Johann. Je me doutais que ces dons d'alchimiste ne seraient pas appréciés d'un homme d'Église, qui verrait dans cet art une pratique démoniaque. J'espérai que Dieu me pardonnerait cette omission.

Après m'avoir donné l'absolution, le prêtre me dit :

— Attendez-moi à la cure.

Une heure plus tard, il m'offrit un verre de lait et un morceau de pain et engagea la conversation.

— Ainsi, vous venez de la Maison Royale d'Éducation fondée par votre roi ?

— Oui, mon père, et si M. von Watzdorf ne m'avait pas promis le mariage, j'y serais encore.

— C'est une œuvre admirable. Chaque pays devrait avoir à cœur de fonder une institution semblable.

— Je partage votre avis, mon père. Et maintenant que M. von Watzdorf n'est plus, Dieu ait son âme, je dois rejoindre la France et reprendre ma place dans cette maison.

— Je comprends, je comprends.

— Cependant, je n'ai pas d'argent pour le voyage.

— Je ne peux pas vous en donner, ce serait au détriment des pauvres de chez nous... mais je m'engage à vous obtenir une place de domestique dans une riche famille. Dans six ou sept mois, un an au plus, vous posséderez un petit pécule vous permettant le départ. En attendant, vous serez hébergée chez les religieuses qui gèrent l'orphelinat. C'est juste en face.

Je le remerciai.

Je vécus une semaine chez les religieuses, les aidant de mon mieux dans les soins à apporter aux enfants. Sœur Marie de Jésus, la supérieure, me proposa même :

— Vous avez de l'instruction. Ne voulez-vous pas vous joindre à nous pour enseigner à nos orphelins ?

Cette proposition me fit sourire. Voilà qui aurait plu à Isabeau qui rêvait d'enseigner [1] ! Moi, j'avais une autre mission, et je déclinai l'offre.

Et puis, un après-dîner, le prêtre qui m'avait entendue en confession vint me chercher et m'annonça :

— J'ai parlé de votre triste situation à plusieurs dames. Eh bien, figurez-vous qu'on m'a entendu au-delà de ce que j'imaginais, et vous allez être surprise.

Cette entrée en matière m'intrigua.

Lorsque je pénétrai dans la cure, une dame était assise sur une chaise, dos à la porte. Elle se leva et se retourna. Je faillis m'évanouir. C'était Elke.

1. Voir le tome 5, *Le Rêve d'Isabeau*.

Qu'avait-elle bien pu inventer pour me blesser à nouveau ?

J'aurais voulu fuir, mais à moins de renverser le prêtre qui se tenait devant la sortie et qui avait été bon pour moi, je ne le pouvais pas.

— Éléonore, commença Elke, lorsque je vous ai vue l'autre jour mendier sur les marches de l'église, j'ai compris que j'avais eu tort de vous chasser. Je vous ai cherchée partout pour réparer cette erreur qui me mine. Car, voyez-vous, je n'ai plus eu de repos depuis ce funeste jour.

Je n'en croyais pas mes oreilles. Elke qui regrettait, qui s'excusait ?

— Grâce à mon confesseur, j'ai fini par admettre que vous n'étiez point coupable des folies de mon père, poursuivit-elle. Pourrez-vous me pardonner le mal que je vous ai fait ?

J'étais muette.

Elle sortit une bourse de son aumônière et me l'offrit :

— Je crois que votre plus cher désir est de regagner la France. Voici de quoi payer votre voyage.

Elle marqua un temps d'arrêt, soupira et ajouta :

— La grâce divine m'a touchée et je souhaite prendre le voile chez les carmélites. Mais cela ne se pouvait avec ce remords qui me rongeait. Maintenant que je suis en paix avec ma conscience, Dieu m'acceptera dans sa maison.

Je devais ouvrir des yeux stupéfaits. Comment imaginer que Elke si méchante et cupide pût entrer dans les ordres ?

— La vie nous réserve bien des surprises, conclut-elle.

Je le pensais aussi.

Comme elle venait de me donner les moyens de rejoindre la France et de sauver Johann, je m'approchai d'elle et, lui prenant la main, je lui assurai du fond du cœur :

— Ah, Madame, mon pardon vous est acquis !

14

Je prélevai quelques pièces de mon pécule afin d'acheter une tenue décente pour un voyage. Je n'avais ni le temps ni les moyens d'employer les services d'un drapier, d'une couturière et d'un tailleur qui m'aurait confectionné jupe, jupon et bustier dans le tissu de mon choix et à ma taille.

Je me résolus donc à me rendre, encore une fois, chez un fripier. J'eus soin de ne point retourner voir celui qui m'avait échangé ma jupe de soie contre celle que je portais. Je craignais que mon brusque changement de situation ne l'intriguât au point de me poser des questions ou, pire, d'alerter la police. Mais ce n'était pas le genre d'échoppe qui manquait dans une ville de l'importance de Dresde.

Je choisis une tenue taillée dans une belle étoffe, une cape doublée de soie et un chapeau sobre. J'acquis aussi une paire de bas et des souliers. Ainsi parée, je me dirigeai vers la place que le marchand m'avait indiquée et d'où partaient les diligences.

Je me souvenais parfaitement des villes dans lesquelles nous avions fait halte lorsque j'étais venue en Saxe avec M. von Watzdorf. Il me suffirait d'effectuer le même trajet, mais à l'envers.

Je me sentais bien. Je ne peux pas dire que j'étais joyeuse, mais le premier obstacle qui m'avait paru insurmontable avait cédé avec tant de facilité que l'espoir m'habitait : j'allais réussir à sauver Johann.

J'attendais, à côté d'un couple, qu'un attelage de huit chevaux eût traversé la place pour m'y engager.

— Avez-vous bien les sauf-conduits, mon ami ? demanda la femme à son époux.

— Pour sûr ! Et ce n'est pas le moment de les perdre ! Il est si difficile de les avoir ! J'ai cru ne jamais les obtenir !

— Oh, cela m'aurait étonnée ! Vous avez des relations si haut placées ! se vanta la femme.

— Sans doute. N'empêche, si je n'avais pas glissé plusieurs centaines de thalers à droite et à gauche, nous ne partions pas !

La stupeur me paralysa. Un sauf-conduit ! Je n'y avais point pensé ! J'avais été si heureuse de pouvoir partir que j'avais omis ce détail capital. Sans ce permis, impossible de traverser les différents États allemands, ni de pénétrer en France...

Mon euphorie s'envola brusquement. Comment obtenir le précieux document ? Je supposais que M. von Watzdorf avait eu des papiers à mon nom, mais j'avais fui son domicile sans les emporter. Je devais les récupérer.

J'essayai de retrouver, dans le dédale des rues, celle conduisant à la demeure du baron. Mais Dresde était vaste, et je n'avais aucun sens de l'orientation. J'y perdis le reste de la journée et toutes mes forces. Dix fois, je demandai à des passants la maison de M. von Watzdorf. Dix fois on me répondit qu'on ne la connaissait pas. Et alors qu'à la tombée de la nuit, le désespoir me guettait, je posai, sans y croire, la même question à un couple descendant d'une calèche.

— C'est le troisième bâtiment sur la droite, m'indiqua l'homme.

Bientôt, je reconnus le jardin en friche et la façade de pierre.

Je tambourinai à la porte. Karl vint m'ouvrir.

— Vous ici, Mademoiselle ? s'étonna-t-il.

— Est-ce que Mlle Elke peut me recevoir ?

— C'est qu'il est fort tard, et...

— Je vous en prie, Karl, c'est très important.

— Entrez. Je vais prévenir Mlle Elke.

Il revint rapidement.

— Suivez-moi, me proposa-t-il.

Lorsque je pénétrai dans sa chambre, Elke était déjà dans son lit, un bonnet de lin sur les cheveux. Elle m'accueillit d'un sourire et cela m'ôta un grand poids.

— Veuillez me pardonner de vous importuner à une heure si tardive... mais j'ai longtemps cherché la maison et... et j'ai encore besoin de votre aide.

Elle fronça les sourcils, ce qui me mit sur des charbons ardents. Jugeait-elle que j'abusais de sa complaisance et allait-elle me renvoyer séance tenante ?

— En quoi puis-je vous être utile ?

— Je... je n'ai aucun papier pour franchir les frontières... bredouillai-je.

— Mais bien sûr ! Comment n'y ai-je pas pensé ? Je vais vous remettre le passeport de mon père. En tant qu'ambassadeur, il avait la possibilité de se déplacer sans être inquiété. Là où je vais, je n'en aurai pas besoin.

— Oh, merci, merci ! m'exclamai-je en tombant à genoux dans la ruelle de son lit. Vous me sauvez la vie !

— C'est la deuxième fois en peu de temps. J'espère que le Ciel me sera témoin que j'ai réparé ainsi le tort que je vous avais fait. Avez-vous un endroit pour dormir cette nuit ?

— C'est-à-dire que...

— Et je suppose aussi que vous n'avez point soupé ?

Je n'osais lui avouer que c'était en effet le cas. Elle sonna. Karl entra, et elle lui ordonna :

— Préparez une chambre pour Mlle Éléonore et montez-lui une collation.

Se tournant vers moi, elle me dit :

— Veuillez m'excuser de ne point manger avec vous, mais j'ai commencé une période de jeûne pour expier mes erreurs passées.

— C'est tout à votre honneur, mademoiselle.

— Je prierai pour la réussite de votre voyage.

Nous nous séparâmes bonnes amies.

Au matin, Karl me donna plusieurs documents : le passeport du baron, un billet signé de la main de Mme de Maintenon m'autorisant à suivre le baron jusqu'en Saxe et un mot d'Elke. Elle y certifiait que son père avait prévu de m'épouser mais que la mort l'avait pris de court, ce qui justifiait mon retour en France. Je cachai ces précieux papiers dans une des poches cousues dans mon jupon, où j'avais déjà placé l'argent remis par Elke. Le marchand qui m'avait vendu le jupon m'avait vanté les avantages de cette poche secrète, indispensable pour qui effectuait un long voyage.

Lorsque la diligence en direction de Leipzig s'ébranla, j'eus l'impression que l'on m'arrachait une partie du cœur. Je quittais la ville où Johann avait été arrêté, sans savoir ce qu'il était advenu de lui. J'avais l'abominable sentiment de l'abandonner à son triste sort.

À Leipzig, je pris une chambre à l'auberge en face de laquelle s'était arrêtée la voiture et je n'en sortis pas afin de ne pas attirer l'attention. Qu'une jeune fille voyage sans chaperon était contraire aux bonnes mœurs. Déjà, dans la diligence, quelques regards interrogateurs s'étaient posés sur moi. Afin de couper court à toute conversation, j'avais fait mine de m'endormir dès que les chevaux s'étaient élancés sur la chaussée.

Les quatre premiers jours du voyage se déroulèrent à peu près de la même façon. À chaque poste frontière, je présentais mes papiers. Les gardes les regardaient à peine mais me lorgnaient moi avec insistance, ce qui était fort déplaisant. Je souriais cependant afin de ne pas leur donner l'occasion de se plaindre et de devenir plus pointilleux. Je priais Dieu que le voyage se poursuivît ainsi jusqu'à Paris, même si je souffrais assez de devoir toujours garder les yeux fermés sans dormir véritablement.

Je ne sais trop pourquoi, à Sarrebruck, les gardes fouillèrent la voiture de fond en comble, exigeant l'ouverture des bagages. Que cherchaient-ils ? Comme je n'avais point de malle, ils me traitèrent en suspecte et m'interrogèrent : d'où venais-je, où allais-je, pourquoi quittais-je la Saxe... Tout d'abord, je ne saisis pas bien leur dialecte, et je fus dans l'obligation de leur faire répéter leurs questions. Cela les fâcha et, sans considération pour ma jeunesse, ils me rudoyèrent. Angoissée à l'idée d'être arrêtée dans cette ville inconnue — si loin de Dresde où Elke aurait pu m'aider et si loin de Versailles où j'avais quelques appuis —, je me troublai.

Un voyageur s'approcha alors de moi, et, me prenant sans façon par le coude, il me dit :

— Que se passe-t-il, chère amie ?

— Il s'agit de mes papiers et...

— J'espère, messieurs, que vous n'osez pas mettre en doute la validité des papiers de l'artiste qui voyage avec moi ? s'indigna-t-il comme si c'était lui que l'on avait outragé.

— C'est-à-dire, que... elle possède le passeport d'un homme... et il se pourrait bien qu'elle l'ait volé. Nous devons nous assurer qu'elle n'est pas une dangereuse criminelle.

— Allons, messieurs, tenez-vous tant que cela à vous couvrir de ridicule ? Mon amie, une dangereuse criminelle ? Elle ne ferait pas de mal à une mouche ! Voyez son air timide et sage, sa fragilité... Je vous assure qu'elle n'a rien d'une criminelle !

Quelques gentilshommes l'approuvèrent. Les dames hochèrent la tête. Le garde qui tenait mes papiers à la main parut moins sûr de lui.

— D'ailleurs, c'est bien simple, j'en réponds comme de moi-même ! s'exclama le voyageur. Et si vous l'arrêtez, il faudra m'arrêter aussi !

Le garde se lissa la moustache, hésita. Le voyageur reprit alors :

— Mais peut-être ignorez-vous qui je suis ?

— C'est-à-dire que... bredouilla le garde.

— Je me nomme Johann Sigismund Kusser [1], je suis maître de chapelle du duc de Brunswick et directeur de l'opéra de Stuttgart. J'ai travaillé six ans en France avec le grand maître Lully, et je me rends à Versailles pour offrir mes services au Roi Louis. Mademoiselle doit interpréter devant la cour de France l'un des airs de mon dernier opéra.

Cette avalanche de titres et de noms impressionna mon tortionnaire, qui se mit brusquement au garde-à-vous.

— Je vous prie de m'excuser, monsieur Kusser... je... j'ignorais que... je...

— Il suffit, mon brave, lui répondit le musicien en lui accordant un regard glacial.

---

1. Johann Sigismund Kusser, musicien né le 13 février 1660 à Presbourg, décédé en 1727 à Dublin.

Après quoi, il m'offrit son bras pour m'aider à remonter dans la voiture.

Je ne savais plus très bien où j'en étais. Je ne connaissais pas ce monsieur et je n'étais point chanteuse, mais il venait de me sauver et j'excusai toutes ses menteries.

15

Si ce n'avait été l'angoisse que j'éprouvais au fond de moi au sujet de Johann, le reste du voyage se déroula assez agréablement. Et je dus ce changement à M. Kusser.

C'était un homme d'une trentaine d'années parfaitement éduqué et cultivé, mais qui n'avait aucune des afféteries[1] qui gâchent souvent les artistes et les musiciens en particulier.

Il s'exprimait en français avec un accent un peu fort, et j'avoue qu'ouïr ma langue maternelle était très agréable. De plus, ce langage nous isolait des

---

1. Mièvreries, préciosités.

autres voyageurs, qui n'y comprenaient goutte, et cela nous amusa.

Il me parla de Lully et m'apprit qu'il retournait à Paris pour parfaire sa technique, car il avait beaucoup d'admiration pour l'art orchestral français :

— Nous sommes trop rudes chez nous, et nous refusons, à tort, l'influence italienne. En France, vous avez su faire la part des choses, et vos musiques sont plus riches, plus souples.

Je l'informai qu'à Saint-Cyr nous avions étudié plusieurs motets de Lully que nous avions eu plaisir à interpréter devant le Roi et que Louise [1], une de mes compagnes, dotée d'une magnifique voix, avait été engagée par la reine d'Angleterre, exilée à Saint-Germain.

La musique occupa presque tout le trajet jusqu'à Metz.

L'entrée dans la ville se déroula sans problème. M. Kusser présenta ses papiers, et je présentai immédiatement les miens. Le garde frontière, un gros bonhomme rougeaud nous sourit comme si nous étions de jeunes tourtereaux. Cela me gêna, mais après tout, l'essentiel était que je puisse poursuivre le voyage.

M. Kusser me proposa de souper avec lui dans la meilleure auberge de la ville. J'hésitai, mais j'avais

1. Voir le tome 2, *Le Secret de Louise*.

si souvent mangé seule dans des chambres sombres, pas toujours propres, qu'un peu de distraction me tenta.

J'acceptai et passai la meilleure soirée de ma vie.

Oh, j'ai honte de le dire, mais Sigismund (il avait tenu à ce que je l'appelle par son prénom) connaissait l'art de plaire. Il commanda des mets délicieux que j'appréciai fort après avoir dû me contenter de la nourriture infâme servie dans le château-prison du prince.

Sigismund commença même à me faire une cour galante en m'assurant qu'il y avait longtemps qu'il n'avait conversé avec une demoiselle aussi cultivée et aussi jolie. Le compliment me flatta. Mais, afin qu'il n'échafaudât pas de projet me concernant, je l'informai sur-le-champ que j'étais promise à Johann Böttger.

— Je l'envie, me répondit-il d'une voix sourde.

Je crus qu'il allait cesser tout bonnement ses attentions auprès de moi, mais il me sourit et prenant ma main, posée sur la table, il me dit :

— Acceptez-vous au moins que je sois votre chevalier servant ? Les chemins ne sont point sûrs, et je connais beaucoup de monde à Paris.

Je retirai vitement ma main et j'ajoutai :

— Si c'est en ami que vous m'offrez votre soutien, je l'accepte avec reconnaissance.

Pour sceller notre amitié, il me servit un peu de ce vin blanc de Champagne qui, m'apprit-il, venait des coteaux de Reims et était particulièrement apprécié par le Roi Louis. Je n'avais jamais bu de vin et celui-ci me râpa le palais. Mais je fis mine de l'apprécier par égard pour lui.

Le voyage jusqu'à Paris me parut moins long que je ne l'avais craint. Nous bavardions de tout. Je lui contais les anecdotes de ma vie à Saint-Cyr : *Esther* jouée par mes amies, *Athalie* où j'avais tenu un rôle, puis la tentative d'empoisonnement de Mme de Crécy [1] et la condamnation de Gertrude, qui nous avait toutes si fort émues. Il avait le bon goût de s'intéresser à ces souvenirs et parfois même d'exiger plus de détails. Que l'on manifeste autant d'intérêt pour ma modeste personne contribua à me donner une assurance que je n'avais point au départ de Dresde.

Un soir, après souper, je lui avouai en baissant le ton que je partais à la recherche de la Pierre philosophale afin de sauver mon fiancé.

— La Pierre philosophale ! s'exclama-t-il, un peu trop fort à mon goût.

— Oui. Vous qui avez parcouru l'Europe, savez-vous où elle se cache ?

---

1. Voir le tome 5, *Le Rêve d'Isabeau*.

— Je n'en ai aucune idée... mais vous êtes opiniâtre et courageuse, et je suis certain que vous la trouverez. Je vous y aiderai de mon mieux.

Nous arrivâmes à Paris sans que j'aie eu à me plaindre de la longueur du voyage.

— Je peux vous recommander à la mère supérieure du couvent de la Visitation Sainte-Marie, rue du Bac, me suggéra-t-il. Elle vous accordera volontiers une chambrette le temps que vous effectuiez vos recherches dans la capitale.

La perspective d'être hébergée dans un couvent ne me séduisit pas. Je craignais que les religieuses, en voulant me protéger, m'empêchent d'accomplir ma mission.

Je dus faire la moue, car il éclata de rire et me proposa aussitôt :

— Je connais aussi Ninon de Lenclos, qui habite rue des Tournelles et qui loge parfois quelques personnes ayant du charme et de l'esprit.

— Ninon de Lenclos ? N'est-elle pas un peu... libertine ?

Mon air scandalisé amplifia son rire.

— Il est vrai qu'elle aime la compagnie des hommes cultivés, mais c'est avant tout une femme de lettres qui parle l'italien, l'espagnol, et qui est aussi versée dans les sciences. Elle a choisi l'indépendance plutôt que le mariage, et c'est ce que les méchants lui reprochent. L'âge venant, elle s'est assagie, bien que son esprit soit toujours aussi vif.

— Pensez-vous que je sois à ma place chez... chez cette dame ?

— Savez-vous qu'elle a reçu souvent dans son salon Françoise d'Aubigné avant qu'elle ne devienne Mme de Maintenon ?

— Je l'ignorais. Dans ce cas, évidemment... et si Mme de Lenclos accepte de m'héberger...

— Je pense que vous y apprendrez plus que dans un couvent, et surtout que vous y trouverez plus d'appuis pour votre mission.

Je fus chaleureusement accueillie par Mme de Lenclos. Elle devait avoir plus de soixante-dix ans, et quoique son visage fût ridé, elle était encore jolie et soignée de sa personne. Elle mit à ma disposition une petite chambre fort coquette.

— C'est ici que dorment mes amies de passage, me dit-elle en me caressant la joue du bout du doigt.

Sigismund lui expliqua brièvement le but de mon déplacement dans la capitale. Elle poussa quelques cris horrifiés, quelques soupirs, et conclut :

— Pauvre petite biche aux abois ! Mais aussi quelle idée saugrenue de tomber amoureuse d'un alchimiste ! Il ne faut jamais donner son cœur au premier venu... Voyez à présent dans quelle situation vous êtes ! Vous allez devoir remuer ciel et terre, user vos forces, votre santé pour un rêveur d'or !

Je baissai la tête. Elle la releva en riant :

— Mes propos vous blessent parce que vous aimez vraiment... Quelle chance il a, cet alchimiste ! À défaut d'or, il a déjà votre amour ! J'espère qu'un jour il se rendra compte que c'est un bien beaucoup plus précieux que toutes les livres [1] d'or qu'il pourra fabriquer !

Sigismund me laissa avec Mme de Lenclos car il avait des affaires à traiter, mais il me promit de revenir rapidement avec, il l'espérait, quelques pistes pour orienter mes recherches.

1. La livre, unité de poids, équivalait à cette époque à cinq cents grammes environ (cela variait selon les régions).

16

Dès le lendemain sur les cinq heures de relevée [1], plusieurs personnes se présentèrent chez Mme de Lenclos. La femme de chambre les introduisit dans le salon où Ninon les attendait, assise dans un fauteuil. Debout à côté d'elle, j'assistai, fortement impressionnée, à l'arrivée de ces gens dont les noms étaient tous célèbres.

— Ah, monsieur de Sévigné, comment va votre chère maman ?

— Bien, madame, elle vous adresse ses amitiés.

— Entrez, entrez, monsieur Perrault, et vous aussi monsieur de La Fontaine !

---

1. Cinq heures de l'après-midi.

Chaque fois, le gentilhomme s'inclinait profondément devant Ninon et plus légèrement devant moi. Je répondais à leur politesse par une petite révérence. Et il me sembla lire de l'étonnement dans certains regards.

— J'ai déjà rencontré Mlle d'Aubeterre chez M. von Watzdorf, se souvint M. de la Fontaine. Le baron n'est point avec vous ?

Cette question me mit mal à l'aise, et je restai muette. Ninon me tira d'embarras en annonçant :

— C'est une longue histoire... Ah, voici monsieur Mignard. Il a peint les plus belles dames de la cour et j'ai eu l'honneur d'en être... Maintenant mes rides ne l'intéressent plus.

— Oh, madame, protesta le peintre qui me parut bien vieux, mes rides me défigurent, mais à vous, elles donnent un charme que beaucoup de donzelles vous envient.

— Flatteur ! plaisanta Ninon.

Puis, me poussant légèrement devant elle, elle ajouta :

— Ma protégée, Éléonore, vous inspirera sans doute mieux que moi.

Je rougis. Je me sentais totalement insignifiante face à tous ces grands hommes et je regrettais que Ninon ait insisté pour que j'assiste à cette réunion.

— Eh bien, lança la maîtresse de maison, puisque aucune dame n'était disponible ce jour-d'hui, nous serons vos seules muses !

Lorsque les messieurs se furent assis sur des chaises face à Ninon, elle reprit :

— Tout d'abord, je vous présente cette demoiselle. Elle a nom Éléonore d'Aubeterre, et quoique encore courte, sa vie a déjà été fort mouvementée.

Et, sans que j'eusse le courage de protester, Ninon conta mon aventure comme je la lui avais narrée la veille, mais avec plus de panache et de couleurs.

Elle me transformait en une sorte d'héroïne ayant quitté la sécurité de Saint-Cyr pour suivre un vieux baron menteur et vicieux afin d'assurer l'établissement de ses sœurs. « Et là, coup de théâtre ! lança-t-elle, le baron meurt et la laisse dans la misère. Nouveau coup de théâtre, elle s'éprend d'un jeune alchimiste paré de toutes les vertus, la beauté en prime. »

Au fil du récit, ces messieurs me coulaient un regard attendri, s'indignaient ou s'étonnaient. Mais Ninon leur laissait peu de temps pour réagir car elle savait parfaitement où elle voulait les mener et elle continua :

— Encore un coup de théâtre : alors que les deux amoureux fuient la prison où le prince électeur les faisait croupir, Johann est arrêté ! Et il supplie Éléonore de partir à la recherche de la Pierre philosophale ! Si elle ne la trouve pas, il est perdu !

Le dernier mot tomba dans le silence.

— Nous ne pouvons pas laisser cette demoiselle dans l'embarras ! s'exclama M. de Sévigné.

— Vous avez raison ! Je vous propose mon aide ! intervint Perrault.

— Je suis hélas trop vieux pour courir Paris avec vous, cependant j'ameuterai mes relations, reprit La Fontaine.

— Je souffre du même mal que M. de La Fontaine, ajouta Mignard, mais je peindrai votre portrait, que vous offrirez à votre fiancé...

Ninon m'adressa un clin d'œil complice. Je remerciai tous ces messieurs pour leur sollicitude.

— N'avez-vous point un quelconque indice à nous communiquer ? s'enquit Charles Perrault.

— Johann m'a parlé d'un certain Nicolas Flamel, alchimiste à Paris, dis-je.

— Hélas, ma chère enfant, il est mort il y a plus de deux cents ans ! affirma La Fontaine. Il n'est plus que poussière !

— Certes... mais le mystère de la transmutation du plomb en or, qu'il aurait réussie, a fait couler beaucoup d'encre et on prétend qu'il en a caché le secret dans les murs de sa maison... au 52, rue de Montmorency. Je sais tout cela parce que, moi aussi, je me suis intéressé à ses recherches, avoua M. Perrault.

— Vous, mon ami ? s'étonna Ninon.

— Parfaitement... La chimie me passionne et je suis certain que nous sommes à l'aube de grandes découvertes !

— Pensez-vous sincèrement que la transmutation soit possible ?

— Certains l'ont réussie... On prétend même que Nicolas Flamel et son épouse ne sont point morts, car l'alchimiste avait réussi à fabriquer l'élixir de l'immortalité. Quelqu'un de bonne foi les aurait vus en Inde, en pleine santé en train de se prosterner devant les énormes statues en or massif, nombreuses dans ce pays.

— Seigneur, voilà ce que j'aimerais ! s'enthousiasma Ninon. L'or m'indiffère... mais l'immortalité, c'est notre rêve à tous !

— Cela va à l'encontre de notre religion, qui prévoit l'immortalité de l'âme seulement après la mort de notre enveloppe charnelle, lui fit observer M. Mignard.

— Mais celui qui permettrait au corps de rester définitivement attaché à l'âme sans mourir, celui-là serait un génie ! s'enflamma Ninon.

— Pour l'instant, à part Flamel, il semble bien qu'aucun n'ait réussi malgré des siècles de recherches assidues... Et si la transmutation et l'immortalité sont des idées fausses, j'aurai toujours là le thème d'un conte.

L'assistance éclata d'un rire libérateur...

— Pour l'heure, il faut aider Mlle d'Aubeterre, n'est-ce pas ? reprit M. Perrault.

— Je reconnais bien là votre grand cœur, Charles ! minauda Ninon.

— Il paraît que le dernier à avoir eu le manuscrit contenant la précieuse formule serait Richelieu. Il l'aurait acquis plus ou moins malhonnêtement et aurait fait bâtir un laboratoire au château de Ruel [1] pour y accueillir des savants capables de déchiffrer l'ouvrage, annonça La Fontaine.

— Ont-ils réussi ?

— Richelieu est mort avant... et on ignore ce qu'il est advenu du manuscrit.

— Eh bien, voilà au moins deux pistes à explorer ! remarqua Perrault.

Je souris. Cela me semblait, somme toute, assez facile.

— Si vous le souhaitez, je vous accompagnerai rue de Montmorency, nous y dénicherons peut-être des indices qui nous permettront d'avancer, proposa Perrault.

J'acceptai avec empressement.

La conversation s'établit autour de l'alchimie et dura jusque vers les neuf heures. Perrault semblait connaître beaucoup de choses sur cette science.

1. Rueil.

— Savez-vous que l'on parle aussi de la *Table d'émeraude*, un texte ancien attribué à Hermès Trismégiste qui est un véritable concentré d'opérations d'alchimie. Hélàs, ce texte a disparu lui aussi...

— Quel dommage, vraiment ! regretta Ninon.

— J'ai entendu dire aussi qu'en 833, sous le règne du khalife Ma'Mûn, avait été rédigé *Le Livre du secret de la création et technique de la nature*. Le problème de tous ces textes, c'est qu'ils comportent quantité de symboles qu'il faut déchiffrer, ce qui n'est point aisé. Tous les alchimistes s'y sont essayés.

— Y sont-ils parvenus ?

— Nous n'avons aucune véritable preuve... alors chacun espère qu'il réussira à son tour afin de devenir riche et immortel.

— Les deux seraient liés ?

— Oui. On prétend que celui qui détient le secret de la transmutation de l'or découvrira aussi le secret de l'immortalité, car, dans les manuscrits anciens, l'or et la vie ont les mêmes symboles.

— Voilà qui est palpitant !

J'étais un peu étonnée que Johann ne m'eût pas expliqué tout cela. Sans doute avait-il agi dans le but de me protéger. En effet si le prince avait voulu m'arracher par la force le secret de la transmutation j'aurais été incapable de le lui révéler puisque je l'ignorai totalement.

J'espérais obtenir rapidement des informations sur cette Pierre philosophale, les rapporter tout aussi rapidement à Dresde afin que Johann pût fabriquer l'or qu'attendait le nouveau prince électeur de Saxe et obtenir sa libération.

Ensuite, notre vie ne serait que félicité suprême !

17

Comme promis, M. Perrault vint me chercher le lendemain après-dîner. Il me fit monter dans sa voiture et me demanda :

— Connaissez-vous un peu Paris ?

— Non. J'ai quitté la demeure de mes parents à Saint-Pourçain-sur-Sioule pour Saint-Cyr et je n'en suis sortie qu'au bras de M. von Watzdorf pour vivre quelque temps à Versailles, après quoi nous sommes partis pour la Saxe... mais de Paris je ne connais rien.

— Il faut au moins que vous aperceviez Notre-Dame, c'est une pure merveille.

Il donna l'ordre à son cocher de longer la Seine. Je vis d'abord des moulins à eau et des bateaux-lavoirs où les blanchisseuses lavaient le linge avant qu'il ne me désigne les deux tours de la cathédrale. Cela n'avait rien à voir avec la modeste chapelle de Saint-Cyr, ni avec l'église de mon village, et je restai bouche bée devant tant de grandeur et de beauté. J'admirai les dentelles de pierre, les gargouilles, les flèches qui semblaient percer le ciel. Nous n'eûmes malheureusement pas le temps d'y entrer pour prier, et je le regrettai car il me parut que le soutien de Notre-Dame n'aurait point été superflu.

La calèche tourna à main gauche et, par un dédale de petites rues assez sordides, nous débouchâmes dans la rue de Montmorency. La voiture s'arrêta face à une librairie.

— C'est ici, m'annonça M. Perrault.

J'étais déçue. Je m'étais attendue à je ne sais quoi de spectaculaire entre l'antre du sorcier et une façade ornée de motifs en or. Mais rien ne distinguait cette bâtisse des autres. Elle était tout aussi délabrée. Seuls quelques livres assez poussiéreux, derrière une vitre sale, indiquaient qu'il s'agissait bien d'une librairie, car, au-dessus de la porte, il ne restait de l'enseigne de fer forgé que la potence tordue.

Nous entrâmes.

Un homme, courbé en deux par la vieillesse, nous demanda d'une voix chevrotante et, il faut bien l'avouer, peu amène :

— Que cherchez-vous ?

— Le manuscrit de Nicolas Flamel, lâcha tout à trac M. Perrault.

Le visage de l'homme vira au rouge et, pointant un index déformé par les rhumatismes, il lança :

— Sortez d'ici ! Ce Flamel me fera mourir ! Les rares personnes qui entrent dans cette boutique me parlent de lui ! Je suis libraire, pas alchimiste ! Sortez !

— Calmez-vous, monsieur, reprit M. Perrault, c'est que cette jeune fille a besoin de renseignements sur Flamel pour sauver son fiancé qui est en prison et...

— Cela ne me concerne pas ! Les alchimistes sont des... des charlatans... et Mademoiselle devrait se méfier. Sortez !

Nous quittâmes la boutique, assez déconcertés. J'avais eu le temps d'apercevoir des piles de livres entassés un peu partout dans la petite pièce. J'avais vu aussi une porte basse qui menait sans doute à une cave où il y avait sans doute d'autres livres... et qui sait, peut-être le manuscrit d'Abraham le Juif ? J'aurais donné cher pour inspecter cette cave.

— Le libraire nous chasse de sa boutique comme des vauriens... alors pénétrer dans sa cave, il n'y faut point songer ! bougonna M. Perrault.

Il baissait les bras un peu vite à mon goût.

— Et puis, ajouta-t-il, il me semble que si le manuscrit était tout bêtement dans sa cave, d'autres l'auront découvert avant nous !

Il me décourageait ! Et je n'avais pas le droit de me laisser abattre !

Lisant sans doute la tristesse sur mon visage, il me réconforta :

— Voyons, ne perdez pas espoir, demain nous irons à Ruel. Pour l'heure, je vous dépose chez Ninon. Nous sommes mercredi et il y a appartement chez le Roi. J'ai le grand honneur d'y être invité. Il est déjà cinq heures, et je dois passer une tenue de circonstance et changer de perruque.

Il fit arrêter la calèche devant le 36 rue des Tournelles, me tendit la main pour m'aider à descendre et remonta rapidement en ordonnant à son cocher :

— Vite, je suis en retard !

Son attitude me dépita, et c'est assez chagrine que j'entrai dans la maison.

— Éléonore, m'appela Ninon sitôt que j'eus refermé la porte, une surprise vous attend près de moi !

« Johann ! C'est Johann, pensai-je. Il a pu se libérer, il a pris un cheval et a cavalé jusque-là ! » Je me précipitai dans le petit salon, prête à défaillir. C'était Sigismund ! Ma joie se mua en déception, et il s'en aperçut.

— Vous ne croyiez tout de même pas que c'était votre alchimiste ? se moqua-t-il.

Si : durant quelques secondes, mon esprit en déroute s'était joué de mes nerfs et de ma fatigue. C'était idiot. Je me ressaisis immédiatement.

— Mais non... c'est seulement que ce jourd'hui je n'ai rien appris de nouveau. C'est un jour de perdu et cela m'inquiète.

Je leur contai la visite que M. Perrault et moi avions rendue au libraire de la rue de Montmorency, et la façon dont il nous avait reçus.

— Et vous brûlez d'envie d'aller explorer cette cave, n'est-ce pas ? conclut Ninon.

Je hochai la tête.

— Eh bien, nous irons dès ce soir, m'assura Sigismund.

— Tous... tous les deux ?

— Nous serons trois. Un de mes bons amis, mousquetaire du Roi, nous accompagnera. Je viendrai vous prendre vers la minuit.

Un peu avant l'heure convenue, on toqua à la porte. J'étais prête. Je montai dans la calèche, où un jeune mousquetaire me salua :

— Je me nomme Jean de la Hautemaison, pour vous servir, Mademoiselle.

La calèche s'arrêta quelques pas avant la boutique. Nous en descendîmes sans bruit.

— Passons par-derrière, souffla le mousquetaire, il y a certainement une porte qui donne dans l'arrière-boutique.

Nous nous faufilâmes dans un passage étroit entre deux bâtisses et nous débouchâmes dans une cour boueuse et malodorante. M. de la Hautemaison avait le sens de l'orientation, car il nous désigna une porte basse en fort mauvais état en murmurant :

— C'est là !

Il sortit de sous sa cape une sorte de poinçon qu'il introduisit dans le trou de la serrure.

— Je suis passionné par la serrurerie et l'horlogerie, m'expliqua-t-il.

— Et aucune ne lui résiste, termina Sigismund.

Effectivement, après avoir fourragé une minute avec le poinçon, la serrure céda dans un claquement sec qui me terrifia. Qu'adviendrait-il de nous si on nous surprenait ? Nous attendîmes, blottis dans un renfoncement du mur. Aucune fenêtre ne s'ouvrit.

— Allons-y, proposa M. de la Hautemaison en poussant la porte, qui grinça sur ses gonds.

Mon cœur battait à se rompre.

Dans la boutique, il faisait aussi noir que dans un four. Sigismund sortit une bougie de sa poche et l'alluma. Sa flamme nous permit d'apercevoir la porte de la cave. Par chance, elle n'était point fermée et s'ouvrit sur un escalier de pierre assez raide dont on ne voyait pas le fond. Nous en commençâmes la descente.

Je n'étais pas rassurée du tout. N'était-ce pas folie de s'engager dans cette exploration ?

Les marches étaient inégales et glissantes et, plusieurs fois, je me retins à l'épaule de M. de la Hautemaison, qui me précédait.

Au fur et à mesure que nous descendions, une curieuse sensation s'empara de moi. Un souffle dont je n'aurais su dire s'il était glacial ou brûlant me caressa le visage. Je me retournai pour voir si Sigismund l'avait ressenti. Il avançait précautionneusement sans paraître troublé par quoi que ce soit hormis le danger que représentaient les degrés inégaux.

— Soyez prudente, me recommanda-t-il.

Je l'étais. Le malaise s'amplifia pourtant. Je sentais une présence maléfique autour de moi... Comme si un sorcier défendait l'accès de son antre par des manifestations étranges.

Soudain, je manquai un degré. Je poussai un cri strident en battant l'air de mes bras et je tombai sur M. de la Hautemaison, qui me rattrapa.

— Seigneur ! Vous auriez pu vous rompre le cou !

Je restai un instant blottie contre lui, tremblante. Et si « on » avait vraiment voulu me tuer pour m'empêcher de découvrir le précieux manuscrit ? Il me sembla même percevoir une sorte de ricanement... Celui du diable ?

J'aurais voulu crier : « Remontons, cet endroit est maudit ! », mais ç'aurait été abandonner Johann à son triste sort. Je serrai les dents et je continuai.

Nous débouchâmes enfin dans une cave voûtée. Elle était vide.

— Ce n'est pas possible ! me désolai-je. Il y a certainement quelque chose... Je... je l'ai parfaitement senti !

Mes deux chevaliers servants me regardèrent d'une drôle de façon, mais ne firent aucun commentaire.

Je m'acharnai :

— Il y a peut-être une cachette dans les murs, une trappe, un passage...

— Cela m'étonnerait, dit Sigismund. Le lieu est trop humide et mal aéré pour conserver des livres.

Les larmes me montèrent aux yeux.

Devant mon désespoir, M. de la Hautemaison entreprit de sonder les murs avec son poinçon. Il frappa les pierres pour en écouter le son, introduisit l'outil dans les failles pour activer un hypothétique mécanisme, mais au bout d'une bonne heure de recherche, il me dit :

— Je suis navré, Mademoiselle, il n'y a aucun manuscrit ici.

C'est lui qui m'aida à remonter l'escalier, car mes jambes ne me portaient plus. Le trouble que j'avais éprouvé n'était-il que le fruit de mon imagination ?

Dans la calèche, je tâchai de ne pas montrer ma terrible déception. Lorsque la voiture s'arrêta devant la maison de Ninon, le mousquetaire me donna le bonsoir et je lui répondis à peine. Sigismund m'accompagna jusqu'au salon où la maîtresse des lieux, enveloppée dans un châle de laine, somnolait dans son fauteuil.

— La cave était vide, lui annonça Sigismund, Éléonore a besoin de réconfort et de repos.

Dès qu'il fut sorti, je m'effondrai dans les bras de Ninon, en proie à une véritable crise de larmes.

18

Le lendemain, ce n'est point M. Perrault qui se présenta chez Ninon mais Sigismund :

— M. Perrault a un empêchement, il m'a prié de le remplacer pour vous conduire à Ruel.

— M. Perrault est très occupé, m'expliqua Ninon. Depuis la publication de son poème *Le Siècle de Louis le Grand*, il n'arrête plus d'écrire ! Il m'a lu les derniers contes sortis de sa prodigieuse imagination et, ma foi, ils sont fort bons.

M. Perrault me décevait. Je le soupçonnais de m'avoir proposé son appui sur un coup de tête et uniquement dans le but de plaire à Ninon. Mais je n'étais point fâchée d'aller à Ruel avec Sigismund.

— Mon ami Jean de la Hautemaison nous accompagne. Il se passionne, depuis peu, pour l'alchimie !

Ninon émit un petit rire de gorge, mais je fis comme si je ne comprenais point l'allusion.

— Et puis, poursuivit Sigismund, un mousquetaire, c'est toujours un atout pour ce genre d'expédition.

Une calèche nous attendait dehors. M. de la Hautemaison bavardait avec le cocher. Lorsqu'il me vit, il ôta son chapeau et s'inclina, puis il m'ouvrit la porte et m'offrit sa main pour faciliter mon installation. C'était charmant, mais cela me gênait, car je ne souhaitais pas qu'il s'affectionnât à moi [1]. Mon cœur était déjà pris.

Dès que la voiture s'ébranla, il me dit :

— Richelieu est mort en 1642. Il doit certainement encore y avoir à Ruel des personnes au courant de l'existence du laboratoire et peut-être même de celle du manuscrit.

C'est bien ce que j'espérais.

Durant le trajet, nous bavardâmes comme de vieux amis. Mais aucun de nous ne parla d'alchimie. Pendant les deux heures où nous fûmes par les chemins j'en oubliai un peu ma mission et j'éclatai

1. Tomber amoureux.

même d'un rire franc aux bons mots de M. de la Hautemaison.

À l'entrée du château, il nous conseilla :

— Laissez-moi faire. Je n'ai pas la prétention d'être l'ami des gens les plus haut placés, mais ceux que je connais ici nous seront d'un grand secours.

Il descendit de voiture, parlementa avec les gardes et nous annonça :

— Nous avons de la chance, ni Sa Majesté ni aucune personne de la famille royale ne sont à Ruel ! Seule une des nièces du Cardinal est présente. Passons par les communs... c'est là que sont la plupart de mes relations !

Lorsque nous pénétrâmes dans la cuisine, une matrone leva son visage rubicond de dessus le chaudron où elle était penchée et s'écria :

— C'est-y Dieu possible, mon Jeannot !

Il se précipita dans ses bras où il disparut presque complètement. Après une longue étreinte, il se tourna vers nous et nous expliqua :

— C'est Clo, ma nourrice. Lorsque j'ai été engagé dans les mousquetaires du Roi, j'ai réussi à lui dénicher cette place de cuisinière... et je viens l'embrasser dès que je peux.

— Pas souvent, garnement ! gronda la vieille femme.

— C'est que je sers Sa Majesté par quartiers, et lorsque je suis libéré de mon service, j'ai mille choses à faire...

— Eh voui ! Et puis tu es jeune... profites-en... Et quand est-ce que tu te maries ? J'aimerais connaître tes petiots avant de disparaître !

Elle me coula un regard inquisiteur comme si elle s'attendait à ce que je lui dise : « Je suis la promise de Jean ! »

— J'ai bien le temps ! se défendit le mousquetaire.

Il tapota affectueusement l'épaule de sa nourrice avant de reprendre :

— Sais-tu où était le laboratoire installé par Richelieu ?

— Sûr. Depuis que j'suis dans cette maison, j'ai entendu mille récits sur ce sujet ! Chacun connaît une histoire vraie ou fausse à propos de ce qui s'y serait passé... Ça alimente les conversations, croyez-moi ! Une fois on vous dit que Richelieu doit ses immenses richesses à la découverte de la Pierre philosophale, d'autres fois qu'il a si longtemps cherché qu'il y a perdu son âme.

— Peux-tu nous y conduire ?

— Pourquoi ? s'inquiéta-t-elle. Est-ce que toi aussi tu vas courir après l'or du diable ?

— Non point. Simple curiosité. Mon ami Sigismund est herboriste... Il veut monter un laboratoire pour... pour distiller des plantes, fabriquer des parfums, et il aimerait voir comment est agencé celui-ci... pour s'en inspirer en quelque sorte.

— Vous allez être déçu. Il ne reste pas grand-chose. Il y a tout de même plus de cinquante ans qu'il n'a pas servi.

— Personne n'a repris les recherches ?

— Personne. Le manuscrit contenant les formules a disparu.

— On en est certain ?

— Ah, ça, mon petiot, faut pas me le demander à moi, je suis pas la spécialiste en la matière... j'sais même pas lire, alors... mais c'est ce qu'on raconte ici. Et puis, on s'en moque, hein ? C'est pas lui qui t'intéresse !

— Tu as la clef ? s'informa M. de la Hautemaison.

— L'intendant me la donnera, il ne peut rien me refuser.

Elle revint quelques instants plus tard en brandissant une grosse clef, et nous la suivîmes.

Comme la veille, nous descendîmes des degrés en direction d'un sous-sol. Clo nous avait remis deux chandelles et nous avait abandonnés en s'excusant :

— Toutes ces marches ne sont pas bonnes pour mes vieilles jambes. Quand vous aurez terminé, rapportez-moi la clef, je serai dans la cuisine.

Nous débouchâmes bientôt dans un entresol faiblement éclairé par trois soupiraux. Des étagères poussiéreuses supportaient des flacons renversés, des pots sans couvercle et des livres mal rangés, cornés, déchirés. Un peu partout, il y avait des sortes de barils, d'énormes poteries, des récipients étranges. Une cheminée occupait un pan de mur.

Nous fouillâmes le lieu, examinant les livres un à un dans l'espoir de tomber sur un précieux manuscrit ; nous soulevâmes barils, cruches, poteries pour voir si une cachette était en dessous ; nous inspectâmes le fond de tous les récipients de nos mains, sondâmes les murs, le sol... Rien !

Tout à coup, Sigismund, qui s'était dirigé dans un recoin bas de plafond, nous appela :

— Venez voir, il y a là plusieurs caisses qui méritent que l'on s'y attarde.

Je le rejoignis, la gorge nouée par l'émotion. L'une d'elles contenait peut-être ce que je cherchais ?

Sigismund souleva le couvercle d'une des caisses, approcha la bougie et s'étonna :

— Des bouteilles !

Il ouvrit une autre caisse.

— Du vin !

— À mon avis, nous venons de découvrir la cache d'un employé indélicat.

— Mais pas le *Livre d'Abraham le Juif*, ajoutai-je désappointée.

— Non. Il n'est pas là... ou il n'est plus là...

Désespérée, je me lamentai :

— Seigneur, si je ne trouve rien, Johann risque la mort !

— Regagnons la cuisine. Clo vous préparera une tisane de plantes pour vous réconforter.

Lorsque nous pénétrâmes dans la pièce, un homme était assis devant un verre de vin. Clo nous le présenta :

— Voici Joseph, l'intendant de cette maison.

Jean de la Hautemaison le connaissait pour l'avoir rencontré quelquefois lorsqu'il était venu embrasser sa nourrice. Sigismund reconnut la bouteille posée sur la table. C'était la même que celles qui étaient dans les caisses.

À ce moment-là, une clochette retentit.

— Madame m'appelle, nous expliqua Clo. C'est l'heure de son chocolat. D'ailleurs, il est prêt, je m'en vais le lui servir.

Dès que Clo eut disparu, emportant dans son sillage l'odeur douce du chocolat, Sigismund s'approcha de l'intendant.

— Nous recherchons des informations sur le *Livre d'Abraham le Juif*, lui dit-il. On raconte que Richelieu le possédait.

— Peut-être.

— Cela fait longtemps que vous êtes dans cette maison ?

— Quarante ans, et je tiens cette charge de mon père, en qui le cardinal Richelieu avait toute confiance.

— Alors il pourrait sans doute nous apprendre certaines choses qui...

— Il est mort.

L'homme mettait une mauvaise volonté évidente à nous répondre... à moins qu'il n'ait reçu l'ordre de protéger le secret du manuscrit.

Tout à coup, Sigismund s'empara de la bouteille et, la brandissant, il lança :

— Nous avons découvert des dizaines de caisses de ce vin dans le laboratoire et nous nous devons de le signaler à la propriétaire du lieu...

— Bien parlé ! Il faut que le coupable soit châtié ! ajouta M. de la Hautemaison.

— Je... je vous en prie... n'en faites rien... C'est que, voyez-vous, Clo et moi devons nous marier. Je lui ai promis une belle fête... mais la vie est difficile... alors je fais quelques réserves pour... pour le grand jour.

— Nous échangeons notre silence contre une information sur le manuscrit. Réfléchissez bien...

— Il est vrai que, dans cette maison, c'est un sujet brûlant. Le cardinal l'a eu en sa possession, et puis il a disparu... Mon père l'avait vu... Il n'y avait rien compris... Il ne comporte que des signes, des phrases bizarres. Il faut être un grand savant pour être capable de le déchiffrer. Avant de mourir, mon père m'a assuré qu'il y avait plusieurs versions de ce célèbre manuscrit et que l'une d'elles serait détenue dans la ville de La Mecque par le khalife Ma'Mûn. Il m'avait fait jurer d'aller à sa recherche afin que je devienne riche et puissant. Mais j'ai pensé que tout ça n'était peut-être que le délire d'un mourant et je n'ai pas voulu lâcher la proie pour l'ombre...

— La Mecque ! m'exclamai-je, écrasée par le poids de cette révélation. C'est si loin...

Personne ne me contredit, et c'est fort triste que je montai dans la calèche avec Sigismund et M. de la Hautemaison.

Le trajet jusqu'à la maison de Ninon se fit dans le silence. Je n'avais point le cœur à parler et mes deux chevaliers servants n'avaient aucune solution à me proposer.

Cela avait été une journée bien décevante et pénible et je ne m'attendais pas à la surprise que le Seigneur, ému sans doute par ma détresse, me réservait.

CHAPITRE

19

❦

Je pénétrai dans la maison aussi discrètement que possible, car Ninon était au salon avec des amis et je ne voulais pas perturber leurs conversations. Mais elle m'entendit et m'appela :

— Éléonore, venez ! J'ai une surprise pour vous !

J'entrai dans le salon, la mine assez sombre et peu encline à me réjouir d'une plaisanterie qu'elle m'avait sans doute préparée.

Je jetai un bref regard aux personnes de l'assistance, espérant qu'après une révérence, je pourrais quitter prestement la pièce. Soudain, je la vis, debout à côté d'une dame fort élégante et, sans souci de la bienséance, je m'écriai :

— Sophie ! Vous ici ?

— Éléonore, je suis si heureuse de vous revoir !

Nous nous étreignîmes longtemps, jusqu'à ce que les larmes que l'émotion nous avait fait monter aux yeux se tarissent.

— Je suis fort aise d'avoir contribué à cette scène de retrouvailles ! me dit Ninon d'un air affecté.

— Mais comment avez-vous su que Sophie et moi étions devenues amies ? demandai-je.

— C'est que Mme d'Aulnoy est une habituée de mon salon ! Il y a quelques mois, elle m'a annoncé qu'elle avait une nouvelle demoiselle de compagnie chaudement recommandée par le baron von Watzdorf avant qu'il ne quitte la France. Lorsque vous êtes arrivée chez moi, j'ai fait le rapprochement, puis j'ai interrogé Sophie, qui m'a appris qu'elle aurait beaucoup de joie à vous revoir... et voilà !

— Ah, merci, madame, vous êtes vraiment ma bonne fée !

Ninon éclata de rire et, prenant le salon à témoin, elle ajouta :

— Eh bien, voici une jeune demoiselle pour qui je suis un ange... on m'a si souvent reproché d'être un démon m'adonnant à une vie de débauche !

Toute l'assemblée rit de ce bon mot.

— Maintenant que je vous ai retrouvée, je ne vous lâche plus, dis-je à Sophie.

— Hélas, ma bonne amie, Mme d'Aulnoy venait ce jourd'hui faire ses adieux à Mlle de Lenclos, car nous partons pour Nantes.

— Voyons, Sophie, ce ne sera pas pour longtemps. Je vais simplement accueillir une cousine qui revient de Saint-Domingue. Ses parents exploitent la canne [1] là-bas, mais ce n'est point un pays satisfaisant pour l'instruction d'une demoiselle et il me la confie pour que je la place dans un couvent où elle sera élevée correctement en attendant le mariage.

Lorsque Sophie avait prononcé le nom de la ville, mon cœur s'était emballé. Nantes était un port. Et d'un port je pourrais m'embarquer pour La Mecque. Et c'est à La Mecque que se trouvait le plus vieux livre du secret de la création. Celui qui permettrait à Johann de réussir la transmutation en or et le sauverait de la mort. C'était donc là que je devais aller.

Bouleversée, je bredouillai :

— À Nantes, dites-vous ?

— Oui. Nous partons demain.

— Je dois, moi aussi, me rendre dans cette ville et...

— Alors, je vous offre une place dans ma voiture ! me proposa Mme d'Aulnoy sans exiger aucune explication.

1. La canne à sucre.

— Je suppose, ma chère Éléonore, que c'est votre mission qui vous entraîne à Nantes ? s'informa Ninon.

— Oui, madame, car mes recherches à Paris et à Ruel n'ont rien donné. Cependant une nouvelle piste s'offre à moi, et il se pourrait bien qu'elle parte de Nantes.

— Voilà une demoiselle qui ne se contente pas de broder au coin du feu ou de prier pour le salut de son âme ! Comme les nobles chevaliers qui peuplent nos romans sont prêts à tout pour sauver leur dame, Éléonore ne recule devant rien pour sauver l'homme qu'elle aime. Tenez, je vous décerne le titre de « chevalière » !

L'assistance sourit et quelques gentilshommes me dévisagèrent avec aménité.

Les bons mots s'enchaînaient car Ninon avait l'art de la conversation. Elle poursuivit :

— Je vous souhaite de tout cœur de réussir. Si vous voulez bavarder avec votre amie, vous pouvez monter dans votre chambre.

Nous ne nous fîmes pas prier et nous passâmes deux heures fort agréables, quoique fort émouvantes aussi, à nous conter nos vies pendant l'année qui s'était écoulée. J'avais eu de loin la plus trépidante, mais c'était bien contre ma volonté. J'aurais préféré que le baron m'eût épousée, qu'il eût tenu ses engagements en dotant mes sœurs. Car c'était son décès qui m'avait entraînée dans cette folle entreprise...

— Oui, mais vous avez rencontré l'amour, me fit remarquer Sophie.

— Certes. Mais mon bonheur est détruit par cette épée de Damoclès au-dessus de la tête de Johann. Si je ne trouve pas la Pierre philosophale, Auguste II sera aussi impitoyable que son frère, car lui aussi rêve d'être le prince le plus riche d'Europe !

— Je vous aiderai. Je m'embarquerai avec vous pour La Mecque, et nous la trouverons cette fameuse Pierre, je vous le promets !

— Puissiez-vous dire vrai !

Je pliai mes vêtements et les roulai dans un drap pour en faire une sorte de baluchon. J'étais arrivée chez Ninon les mains vides et, bien qu'elle eût été fort généreuse avec moi, je ne voulais emporter que le nécessaire.

Depuis que j'avais été contrainte de quitter Saint-Cyr, je ne vivais que de charité. Après celle du baron, celle de Elke, puis celle de Ninon, c'était maintenant Mme d'Aulnoy qui allait me permettre d'avancer. C'était fort humiliant de toujours dépendre des autres. Et pourtant, comment faire autrement ?

J'avais pris la décision de ne pas informer mes parents de ma situation. Ils me croyaient mariée avec le baron et ne s'inquiétaient donc pas pour moi. Je ne me sentais pas le courage de les détromper et d'ajouter mes problèmes à ceux qu'ils avaient déjà : l'établissement de mes sœurs et leurs propres soucis financiers.

Lorsque le salon se fut vidé de ses invités, Ninon me fit appeler.

— Je suis contente de vous avoir rencontrée, Éléonore. Je vous souhaite de réussir dans votre entreprise et d'être heureuse. Vous le méritez bien car vous faites honneur à la gent féminine !

— Je vous remercie, madame, de tout ce que vous avez fait pour moi. Puisque je n'aurai pas le temps de saluer M. Perrault, M. de la Hautemaison et M. Kusser, pouvez-vous le faire à ma place ?

— Je n'y manquerai pas.

Nous nous embrassâmes comme de vieilles amies, puis je montai dans la voiture de Mme d'Aulnoy, où je m'assis à côté de Sophie. Je regardai s'éloigner la maison de Ninon en me disant qu'une fois de plus une page de ma vie se tournait. Je perdais des amis et j'en retrouvais d'autres. Cette sorte d'errance me coûtait. J'eus soudain le sentiment atroce que jamais cela ne cesserait. Je frissonnai.

À ce moment-là, Sophie me serra la main. Avait-elle senti ma détresse ?

CHAPITRE

20

J e dois avouer que le voyage jusqu'à Nantes fut des plus agréables.

Il faisait beau, la voiture était confortable, et nous nous arrêtions dans les meilleures auberges, où les repas étaient copieux et les lits moelleux.

Parfois nous étions invitées dans la noble demeure d'une amie de Mme d'Aulnoy, qui mettait tout en œuvre pour lui faire plaisir, allant même jusqu'à organiser bal ou fête en son honneur. Si ma mission ne m'avait pas angoissée, j'aurais joui pleinement de ces jours de détente. Au contraire, c'était durant ces moments de liesse que le découragement m'envahissait. Par contraste, l'insouciance de Sophie me blessait. C'était un état dont j'ignorais la douceur. La vie n'avait pas voulu me faire ce cadeau, elle m'avait immédiatement mis un lourd fardeau sur les épaules.

Sophie dansait avec beaucoup de grâce et ne manquait pas de cavaliers. Je refusais la plupart des invitations. J'aurais eu honte de me divertir alors que Johann était prisonnier en Saxe.

— Vous devriez vous changer les idées, me reprocha mon amie.

— Je ne le puis. Je pense constamment à lui et je suis certaine qu'il pense à moi. Me divertir serait le trahir.

— Finalement, je vous envie. Aimer et être aimée à ce point, c'est merveilleux.

— Oh, non, il ne faut pas m'envier ! La vie de Johann dépend de moi, et cette idée me torture ! Si je ne réussis pas... mon Dieu...

— Vous réussirez, Éléonore. Vous vous battez avec tant de courage pour cela !

Nous flânâmes beaucoup. Mme d'Aulnoy n'était pas pressée de regagner Nantes, car sa cousine ne débarquait qu'à la fin du mois, et encore fallait-il que les vents aient été favorables et qu'aucune tempête n'ait détourné le navire.

Moi, je rongeais mon frein. J'aurais voulu faire la route d'une seule traite ! Pendant que nous perdions du temps en fêtes, en collations, en bavardages, un bateau partait peut-être pour l'Orient... un bateau dans lequel je n'étais pas... Et Johann attendait mon retour...

Mais je dépendais de la bonté de Mme d'Aulnoy et il aurait été fort mal venu de me plaindre.

Enfin, nous franchîmes les portes de Nantes.

Sous prétexte de nous divertir de l'animation du port, Sophie et moi sollicitâmes l'autorisation d'accompagner Joseph, un valet qui allait se renseigner sur le jour prévu pour l'accostage de *La Conquérante*.

— Je ne vois rien d'agréable dans un port, s'étonna Mme d'Aulnoy. Il y a trop de cohue, de bruit et des odeurs abominables... et puis soyez prudentes, on conte des histoires horribles de demoiselles embarquées de force pour le Nouveau Monde. Il paraît aussi que les sultans d'Arabie achètent des demoiselles blondes à la peau claire pour peupler leurs harems.

— Seigneur ! s'inquiéta Sophie.

— N'ayez crainte, madame, nous suivrons Joseph pas à pas, répondis-je en poussant Sophie vers la sortie avant qu'elle ne changeât d'avis.

— Est-il bien raisonnable de nous aventurer ainsi sur le port ? me souffla mon amie dès que nous fûmes dehors.

— Non, je vous l'accorde. Mais si je ne fais que ce qui est raisonnable, je laisse mourir Johann, répliquai-je assez sèchement.

— Pardonnez-moi, Éléonore, je n'ai pas votre courage.

Désolée de l'avoir bousculée, je lui saisis le bras et je plaisantai :

— Vous êtes avec une « chevalière », il ne peut rien vous arriver de fâcheux !

Le port était, en effet, un lieu très mouvementé. Des chariots, pleins de tonneaux ou de sacs, roulaient à bride abattue sans se soucier des passants, des portefaix ployaient sous d'énormes paquets ficelés dans leur dos et sur leur tête. Des nègres en haillons s'activaient autour des navires, des marins sortaient ivres des tavernes. Il fallait constamment regarder où l'on posait les pieds pour ne pas trébucher sur des cordages, des filets, des caisses, des vaches, des moutons, des cochons... Dans l'air flottait une multitude d'odeurs indéfinissables qui agressaient les narines, tandis que les cris, les appels, les coups de marteau, les injures, le crissement des cordages vous assourdissaient. Nous étions dans un univers d'hommes. Certains nous lancèrent même quelques plaisanteries égrillardes que nous fîmes semblant de ne point comprendre.

Nous restions sous l'illusoire protection de Joseph, qui paraissait aussi terrorisé que nous. Je gage que c'était la première fois qu'il déambulait sur un port.

— Ce n'est vraiment pas un endroit pour nous, et je regrette d'y être venue, se plaignit Sophie.

— C'est pourtant de là que je dois m'embarquer pour La Mecque.

Après avoir plusieurs fois demandé notre chemin, on nous désigna une porte au rez-de-chaussée d'un vaste bâtiment de pierre : le bureau de la Compagnie des Indes orientales.

Un officier nous annonça que *La Conquérante* serait à quai, d'ici trois ou quatre jours.

— Y a-t-il bientôt un navire en partance pour La Mecque ? m'informai-je.

— La Mecque ? Ce n'est pas une destination ordinaire. Et aucun armateur n'affrète pour l'Arabie... le commerce n'y est pas sûr... et, si je peux me permettre, c'est un lieu bien dangereux pour une demoiselle, me répondit un officier.

J'insistai :

— En êtes-vous certain ? Il s'agit pour moi d'une question de vie ou de mort.

Le regard que l'officier posa sur moi était celui d'un père sur sa fille, car il ajouta :

— Dieu décide pour vous, mademoiselle, car je puis vous le jurer, aucun navire ne part de Nantes pour La Mecque.

Johann était donc perdu.

Anéantie, je traînai les pieds pour quitter la Compagnie des Indes orientales, espérant que l'officier me rappelle pour me dire : « Attendez, j'ai fait erreur, un navire partira demain ou dans dix jours... » Joseph et Sophie étaient déjà proches de la sortie. Je m'arrêtai un instant pour admirer la maquette d'un magnifique trois-mâts décorant le hall lorsqu'un homme, qui traversait la pièce à grandes enjambées, me heurta violemment.

— Oh, je suis désolé, s'excusa-t-il, je suis si distrait... je ne regardais pas devant moi. Je vous prie de bien vouloir me pardonner ma maladresse.

Je le dévisageai sans aménité. Il était grand, plutôt charpenté et avait quelque chose de rustique dans sa tenue. Avait-on idée de foncer ainsi, tête baissée ? Je massai mon épaule endolorie par le choc sans prononcer une parole pour accepter ses excuses.

Sophie et Joseph firent demi-tour pour venir me secourir. Je les rassurai :

— Ce n'est rien. Monsieur ne m'a pas vue et m'a percutée. J'en serai quitte pour un bleu à l'épaule.

Celui que j'avais pris pour un goujat s'inclina alors devant moi.

— Mademoiselle, vous avoir blessée, même légèrement, va me gâcher ma journée. Acceptez donc mon bras afin que je vous raccompagne jusque chez vous.

Cette proposition n'était pas désagréable, car la perspective d'affronter la foule hétéroclite du port m'effrayait. Cependant, afin qu'il ne s'imaginât pas avoir affaire à une gourgandine, je lui répondis :

— Je ne vous connais pas, monsieur.

— Georges des Closets, chevalier du Ménillet, pour vous servir, demoiselle, lança-t-il d'une seule traite en s'inclinant, son chapeau balayant le sol.

— Je suis Éléonore d'Aubeterre et voici mon amie Sophie de Saint-Cassien. Nous sommes demoiselles de compagnie de Mme d'Aulnoy, et Joseph est son valet. Mais vous sembliez fort pressé et je ne voudrais point vous mettre en retard.

— L'affaire qui m'amenait ici est effectivement très importante, mais elle attendra quelques minutes.

Il me tendit son bras et, afin de ne pas lui faire mauvaise figure, puisque, somme toute, j'avais affaire à un gentilhomme, j'engageai la conversation.

— Vous vous embarquez pour un pays lointain ?

— À dire vrai, je reviens de la Chine [1].

— De la Chine ? Seriez-vous négociant en porcelaine ?

— Si fait, mais un événement m'a détourné de mon travail.

---

1. Au XVIIᵉ siècle, on disait « aller à la Chine ».

— Avez-vous été obligé de céder votre cargaison à des pirates ?

Il sourit.

— Non. Voici quelques mois, je m'étais embarqué sur une galère où je fis la connaissance d'un vieillard qui usait le reste de sa vie à ramer, attaché à son banc. Sa détresse m'émut et, après avoir parlementé avec le capitaine et l'avoir largement dédommagé, j'ai racheté la liberté de cet homme.

— C'est tout à votre honneur.

— Je ne savais point, en faisant ce geste, que j'allais approcher le secret des secrets.

J'étais suspendue à ses lèvres et je ralentis volontairement le pas pour qu'il ait le temps de me conter son histoire avant que nous apercevions la demeure où Mme d'Aulnoy avait élu domicile.

— En fait, ce vieil homme avait été le médecin particulier de la sultane reine de Turquie dont le galion avait été pris par quelques pirates alors qu'elle se rendait avec son fils le jeune prince Ottoman en pèlerinage à La Mecque.

— La Mecque ! m'écriai-je.

— Vous connaissez ?

— Non... C'est une ville qui... enfin qui m'intéresse. Continuez, je vous en prie.

Le chevalier du Ménillet baissa la voix et me chuchota à l'oreille :

— Pour me remercier, le vieil homme me confia le secret de la transmutation métallique.

Je trébuchai. Il me retint fermement et poursuivit d'une voix douce :

— Il ne faut point que cela vous effraie. Certaines personnes pensent que ceux qui détiennent ce secret sont des sorciers, mais je vous assure qu'il n'en est rien. Ai-je l'allure d'un sorcier ?

J'étais si troublée par ce que je venais d'entendre, que je m'arrêtai pour reprendre mes esprits. Je bredouillai :

— Non, non... Vous ne ressemblez pas à un sorcier.

— À la bonne heure ! Parce que, voyez-vous, je n'y comprends rien en alchimie et j'avoue que cela ne m'intéresse pas...

— Ainsi donc, repris-je, vous connaissez le secret de la Pierre philosophale.

Il rit de mon intérêt et plaisanta :

— Je le connais sans le connaître, parce qu'un secret est un secret. Pour le découvrir, il faut réussir à déchiffrer des symboles incompréhensibles qui me laissent indifférent. Je ne crois pas que l'or fasse le bonheur... au contraire. Il en faut un peu pour être à l'aise dans la société, mais trop gâche l'âme.

— Ah, monsieur, soupirai-je, vous êtes un sage.

J'hésitais à lui confier que de ce fameux secret dépendait la vie de Johann. Johann qui avait sans doute eu tort de se vanter auprès du prince électeur de Saxe de pouvoir fabriquer de l'or... mais Johann était un chimiste rêveur. Il aimait manipuler les poudres, les fioles, les onguents, il aimait chercher, tester, tenter dans le but de faire avancer la science. Et la découverte qui lui avait paru la plus belle était celle de l'or. Pas pour lui. Pour le prince, afin que l'on dise haut et fort que lui, Johann Böttger, était le plus grand chimiste de tous les temps.

Nous étions devant la porte. Je m'affolai. Allions-nous nous séparer ainsi ? Je devais absolument le faire parler. Comment ? Je pouvais essayer de le séduire, mais cela me répugnait. J'aimais Johann et, pas plus que je ne souhaitais danser avec un autre cavalier, je ne voulais me laisser courtiser pour arriver à mes fins.

Une idée me vint soudain et, alors que Sophie et Joseph, qui marchaient quelques pas derrière nous, nous rejoignaient, je lâchai :

— Mon amie Sophie rêve de la Chine. Elle serait ravie si vous pouviez venir nous en parler, n'est-ce pas, Sophie ?

— Mais... euh... certes... s'embrouilla Sophie, qui, n'ayant pas suivi la conversation, ignorait pourquoi elle était tout à coup passionnée par la Chine.

— Avec plaisir.

— Alors, disons demain vers les trois heures de relevée ?

Nous nous séparâmes à regret.

Dès que nous fûmes seules, j'expliquai mon plan à Sophie. Le but de cette invitation était que le chevalier me livre la formule qui, visiblement ne l'intéressait pas, et que je coure ensuite jusqu'à Dresde pour sauver Johann.

Elle jugea que mon idée était bonne et accepta de se plier au jeu.

Je la remerciai du fond du cœur, ce à quoi elle me répondit :

— Vous êtes mon amie, Éléonore. Vous me l'avez prouvé. C'est à mon tour à présent.

CHAPITRE

21

J'expliquai à Mme d'Aulnoy que nous avions rencontré un gentilhomme qui revenait de la Chine et qui se proposait de nous parler de ce pays lointain. Elle fronça les sourcils :

— Et par qui vous a-t-il été présenté ?

Si je lui avouais qu'il m'avait tout simplement bousculée, elle lui refuserait l'entrée de sa maison, car c'était contraire aux bonnes manières. Prévoyant sa réticence, j'avais préparé un petit mensonge.

— M. des Closets est un familier de l'officier de la Compagnie des Indes à qui nous nous sommes adressés pour avoir des renseignements sur *La*

Conquérante. C'est ce capitaine qui nous a présentés.

— Ah, voilà qui est bien. Ne croyez pas, ma chère Éléonore, que je vous espionne, mais Sophie et vous êtes sous ma responsabilité et je ne voudrais pas que vous tombiez entre les griffes du premier venu.

— Je vous remercie, madame, du soin que vous prenez de nous, mais vous n'avez rien à craindre du chevalier du Ménillet, car sa visite n'a qu'un but : nous instruire sur ce pays qui nous enchante.

— Il m'enchante aussi, et je partagerais bien cette leçon avec vous.

J'eus l'impression de recevoir un seau d'eau glacé au visage. Si Mme d'Aulnoy assistait à cet entretien, mon plan ne pourrait se dérouler comme prévu. En effet, j'avais demandé à Sophie de jouer de la prunelle pour troubler le gentilhomme afin qu'il me cédât la formule.

« Je le veux bien, car, ma foi, il est fort séduisant », m'avait-elle assuré.

Cependant, pour ne point attirer la méfiance de Mme d'Aulnoy, je cachai ma déception le mieux possible.

Le lendemain, nous étions toutes les trois assises dans le salon lorsque le chevalier du Ménillet se fit annoncer. Il s'inclina devant Mme d'Aulnoy en lui débitant une phrase aimable. En quelques secondes, il la conquit.

— Alors, monsieur, parlez-nous de la Chine, ordonna-t-elle en se calant dans son fauteuil, on prétend que les gens y ont la peau aussi jaune que les citrons cultivés à l'orangerie de Versailles.

— Il est vrai, madame, que ces peuples d'Orient n'ont point la peau blanche comme la nôtre, elle est plus colorée et plus luisante, ce qui a fait dire à certains qu'elle était jaune.

— Quelle horreur ! s'offusqua Mme d'Aulnoy.

— Ce n'est point laid, c'est différent. Les femmes sont particulièrement belles. Elles ont de longs cheveux noirs, des yeux en amande très noirs, la bouche et le nez petits... Elles ont un corps menu, une poitrine menue également et des pieds qu'elles serrent dans des bandelettes afin qu'ils ne grandissent pas, car, dans ce pays, avoir de petits pieds est un critère de beauté. Et aucun homme ne voudrait épouser une jeune fille ayant des pieds normaux.

— Je ne partage pas votre engouement. Ce que vous me décrivez là est particulièrement hideux.

— Chaque pays possède des canons de beauté différents et, sauf votre respect, madame, si vous habitiez en Chine, vous ne seriez pas au goût des gens de là-bas.

Mme d'Aulnoy éclata de rire et ajouta :

— Et comment sont les maisons ?

— Différentes aussi. Elles sont, pour la plupart, en bois et peintes en rouge, la couleur du bonheur. Les gens mangent en s'asseyant par terre, jambes croisées. Ils ne connaissent pas la chaise, le fauteuil ou le ployant. Ils ne touchent pas la nourriture avec les doigts mais avec deux baguettes de bois qu'ils manient avec dextérité.

— Quel peuple étrange ! Et quelle est leur religion ?

— Il y en a plusieurs, et je n'ai pas très bien saisi qui était leur Dieu. Les moines bouddhistes portent une vaste tunique orange.

— Seigneur ! Mais n'y a-t-il pas de missionnaires venus leur enseigner le christianisme ?

— Si. Des jésuites sont sur place car, par chance, l'empereur K'ang-hsi, qu'on appelle là-bas le Fils du ciel, est un homme très cultivé qui s'intéresse à notre civilisation.

— Ah, tant mieux ! Ils s'éloigneront bientôt de leurs dieux de pacotille pour entrer dans le giron de notre sainte mère l'Église catholique et ils y gagneront la vie éternelle !

Nous en étions là de cette passionnante discussion lorsque Joseph annonça :

— Madame, un coursier vient de m'informer que *La Conquérante* est à quai.

— Enfin ! Je cours accueillir ma jeune cousine !
Je suis désolée, monsieur, de devoir interrompre
votre récit. Joseph va vous raccompagner car il ne
serait pas convenable que vous restiez seul avec ces
demoiselles. Sachez, pourtant, que j'aurais plaisir à
vous revoir afin de poursuivre cette conversation.

Il s'inclina. Mme d'Aulnoy sortit. Joseph prononça d'une voix neutre :

— Si Monsieur veut bien se donner la peine de
me suivre...

Quoi ! Le chevalier allait partir sans m'avoir livré
son secret ? C'était impensable. Il fallait que je le
retienne. Que je le questionne.

J'étais si troublée, si angoissée à l'idée que j'allais
perdre la dernière piste que je me résolus à adopter
le stratagème suivant : me levant pour raccompagner le chevalier, je m'effondrai sur le sol.

Lorsque j'ouvris les yeux, Sophie était penchée
sur moi, et le chevalier me soutenait la nuque de
son bras.

— J'ai envoyé Joseph quérir un médecin,
m'annonça Sophie.

— Ce... ce n'est pas nécessaire... je vais mieux.

— Si, c'est indispensable, rétorqua-t-elle en me
fixant d'un air entendu.

Soudain, je compris. Elle avait réussi à éloigner
Joseph. Mme d'Aulnoy était au port. C'était le
moment de parler au chevalier.

Il m'aida fort galamment à me relever et s'inquiéta :

— Comment vous sentez-vous ?

— Bien. Je vous remercie. Ce malaise n'a été provoqué que par la crainte que j'ai eue de ne pas pouvoir vous entretenir du sujet qui me tient à cœur.

— Est-il donc si grave ?

— Oui. La vie de mon fiancé dépend de vous, monsieur.

— De moi ? Mais comment ? Je ne le connais pas et je ne vous connais que depuis peu.

— Pourtant c'est la vérité, parce que vous détenez le secret de la Pierre philosophale. C'est bien ce que vous m'avez affirmé hier ?

— En effet.

Je lui contai donc ma rencontre avec Johann, notre long enfermement à Dresde, notre fuite et son arrestation.

— Le prince électeur a juré de le faire exécuter s'il ne fabriquait pas de l'or ! Le temps presse. Et je prie Dieu chaque jour de ne pas arriver trop tard. Vous seul pouvez le sauver !

— Eh bien, demain je vous apporte le parchemin que m'a remis cet homme, et votre fiancé est sauvé !

Je n'en revenais pas que ce fût si simple, et des larmes de soulagement coulèrent doucement sur mes joues.

— Ah, monsieur, m'exclamai-je, je vous devrai une éternelle reconnaissance !

— Vous ne me devrez rien. Comme je vous l'ai déjà dit, ce secret ne m'intéresse pas. Mais s'il peut sauver l'homme que vous aimez, il est à vous.

Joseph entra dans le salon, un médecin sur les talons. Lorsque celui-ci me vit en train de bavarder, il fronça les sourcils et grogna :

— Il était inutile de me déranger pour si peu !

— C'est que... je crois bien que... que mon cœur s'est arrêté tout soudainement de battre et qu'il est reparti quelques secondes plus tard, mentis-je.

Il demanda que l'on me conduisît dans ma chambre afin qu'il pût m'examiner. Appuyée sur le bras de Joseph d'un côté et sur celui de Sophie de l'autre, j'entrepris de gravir les degrés conduisant à l'étage en faisant semblant d'être très faible. En passant, je soufflai au chevalier :

— À demain.

— Je serai là vers deux heures.

Je dus accepter une saignée et une purgation destinées à chasser les mauvaises humeurs qui encombraient mon corps et mon esprit. Ce fut une punition que j'acceptai de bonne grâce puisque Johann allait y gagner la vie !

Je ne dormis pas de la nuit.

Tantôt j'étais optimiste, imaginant mon retour à Dresde avec la formule, mon bonheur de sauver Johann et la grande joie de nos retrouvailles, ce qui m'excitait à un si haut point que le sommeil me fuyait.

Tantôt j'étais pessimiste, me persuadant que le chevalier du Ménillet m'avait menti pour se faire valoir à mes yeux et qu'il n'avait point cette précieuse formule, ce qui m'anéantissait tant que je me tournais et retournais sur ma couche.

Sophie, avec qui je partageais la chambre, et qui m'entendait soupirer, essaya de me raisonner :

— Cela ne sert à rien de vous mettre dans un état de nerfs pareil. Attendez demain !

— Je le sais. Mais j'ai tellement peur que la dernière piste qu'il me reste soit encore fausse ! Si je dois moi-même m'embarquer pour La Mecque à la recherche de cette Pierre philosophale, des mois vont s'écouler... Et le prince électeur de Saxe aura perdu patience avant mon retour.

— Peut-être votre fiancé l'aura-t-il trouvé seul ? À cette heure il est couvert d'honneurs et de privilèges par le prince !

— Il a déjà tant et tant cherché sans succès que ce serait un véritable miracle.

— Moi, je crois aux miracles. Il faut prier, Éléonore.

— Ah, ma bonne amie, je ne fais que cela depuis des nuits et des nuits.

— Alors Dieu finira par exaucer vos prières.

Je me levai à l'aurore et je me mis à la fenêtre pour me changer les idées avec le spectacle de la rue.

La matinée fut interminable.

La cousine de Mme d'Aulnoy, qui s'appelait Françoise de Chavigny, nous conta pourtant sa vie dans l'île de Saint-Domingue, nous décrivant les fleurs des flamboyants, les arbres immenses, les oiseaux multicolores et les petits singes. Puis elle nous parla de l'existence des esclaves noirs travaillant dans les champs de canne et nous interpréta un refrain qu'ils chantent pour s'encourager. Cela passionna Sophie et Mme d'Aulnoy, mais je ne parvins pas à m'intéresser à son récit. J'avais les yeux rivés sur la pendule posée sur la cheminée : les minutes s'écoulaient avec une lenteur irritante.

Enfin, ce fut l'heure du repas.

Je touchai à peine aux plats qu'on nous servit alors même que Mme d'Aulnoy avait fait préparer des mets fins et recherchés pour honorer sa jeune cousine.

— Seriez-vous encore souffrante ? s'inquiéta Mme d'Aulnoy, à qui Joseph avait cru bon de signaler mon malaise.

— Non. Un peu fatiguée, sans doute.

— Allez donc vous reposer dans votre chambre. Françoise et moi avons rendez-vous à deux heures avec Monseigneur l'évêque à Saint-Paul afin qu'il nous dirige vers le couvent le plus propice à son éducation.

Je quittai la pièce, soulagée d'apprendre qu'elle ne serait pas présente lorsque je recevrais M. des Closets... s'il venait. Mes angoisses de la nuit ne m'avaient pas abandonnée.

Je repris mon poste d'observation derrière la fenêtre, surveillant les calèches qui tournaient à l'angle de la rue, guettant les hommes qui marchaient à pied, ceux qui traversaient en direction de la maison, ceux qui s'en éloignaient sans s'arrêter, essayant de deviner sous les chapeaux s'il s'agissait ou non de celui que j'attendais. Je me tordais nerveusement les mains, remettant en place une mèche de cheveux imaginaire, car aucune ne s'était échappée de ma coiffure.

Lorsque Sophie me rejoignit, elle me gronda :

— Calmez-vous, il va venir.

— Comment pouvez-vous en être si certaine ? lui répliquai-je nerveusement.

— Parce que c'est un gentilhomme.

Soudain, je le reconnus. Il avançait vers la maison d'un pas souple. Il leva les yeux vers la fenêtre. Je reculai.

— C'est lui, soufflai-je.

— Ah, vous voyez !

Quelques instants plus tard, Joseph nous prévenait :

— M. des Closets demande à être reçu.

— Faites-le patienter dans le petit salon.

Sophie s'arrêta devant la glace, arrangea ses cheveux et se mordit les lèvres pour les rosir. Son manège me fit sourire et réussit à calmer un peu mon angoisse, aussi plaisantai-je :

— Le chevalier vient pour moi.

— Certes, mais il est plus poli de se présenter avec un visage avenant plutôt qu'avec une face de Carême.

— Vous avez mille fois raison.

Dès qu'il me vit, M. des Closets m'annonça :

— J'ai ce que vous m'avez demandé.

Il sortit de sous son gilet un parchemin roulé qu'il me remit.

— J'ai écrit ce texte sous la dictée du vieil homme. Il le connaissait en latin, mais, ne sachant pas si vous lisiez cette langue, je l'ai traduit en dessous.

— Je vous en remercie. À Saint-Cyr, j'ai appris le latin, mais sans doute pas suffisamment bien pour en saisir toutes les subtilités.

Les mains tremblantes, je déroulai le parchemin. Je tenais donc le secret qui allait sauver Johann, et c'est fort émue que j'en entrepris la lecture.

Table d'émeraude d'Hermès Trismégiste
Paroles des arcanes d'Hermès

Il est vrai, sans mensonge, certain, et très véritable que ce qui est en bas est comme ce qui est en haut, et ce qui est en haut comme ce qui est en bas : pour l'accomplissement des merveilles de la chose unique. Et de même que toutes choses se sont faites d'un seul, par la médiation d'un seul, ainsi toutes choses sont nées de cette même unique chose, par adaptation. Le Soleil est son père, la Lune est sa mère ; le Vent l'a porté dans son ventre, et la Terre est sa nourrice. C'est le père de l'universel télesme du monde entier. Sa puissance est entière quand elle est métamorphosée en terre. Tu sépareras la terre du feu, le subtil de l'épais, avec délicatesse et une extrême prudence. Il monte de la terre au ciel, et derechef il descend en terre, et reçoit la force des choses d'en haut et d'en bas. Ainsi tu auras la gloire de l'univers entier, par là toute obscurité s'enfuira de toi. Là réside la force forte de toute force qui vaincra toute chose subtile et pénétrera toute chose solide. Ainsi, le monde a été créé. De là proviendront des adaptations merveilleuses dont le mode est ici. C'est pourquoi je fus appelé Hermès Trismégiste, possédant les trois parties de la philosophie de l'univers entier. Ce que j'ai dit est complet sur l'opération du soleil.

— C'est tout ? m'étonnai-je. Il n'y a aucun calcul, aucun nom de poudre, aucune formule...

— Je n'ai pourtant rien omis. Le vieil homme me l'a dicté tel que vous l'avez là.

— Je n'y ai rien compris.

— C'est normal. Ce texte est codé, afin que n'importe qui ne puisse pas s'emparer de ce formidable secret qu'est la transmutation de l'or. Pour nous qui n'y connaissons rien, cela ne veut rien dire, mais, pour un alchimiste, ce doit être aussi clair qu'une fable de La Fontaine.

— Je l'espère... parce que si ce texte ne permet pas à Johann d'effectuer cette transmutation... oh, Seigneur ! Je préfère ne pas penser à ce qui arrivera !

— Ayez confiance ! Il n'y a aucune raison pour que cet homme que j'ai sauvé d'une mort certaine m'ait menti. Il respirait la bonté et même la sainteté.

— Dans ce cas, je dois repartir pour Dresde le plus vite possible ! Johann doit m'attendre avec tant d'impatience !

— Allez-vous entreprendre seule ce long voyage ? s'étonna le chevalier.

— Hélas, oui. Je l'ai fait à l'aller alors que l'angoisse m'étreignait, je le ferai au retour, l'esprit plus serein.

— Je vous aurais volontiers accompagnée, mais je viens d'obtenir un embarquement pour la Chine où j'ai d'importantes affaires à traiter.

— La porcelaine ?

— Oui. Tant que nous ne saurons pas la fabriquer en Europe, le marché sera florissant. La noblesse est prête à dépenser des fortunes pour posséder les plus belles pièces. Pour moi, la porcelaine de Chine est aussi précieuse que l'or ; d'ailleurs, on la nomme l'« or blanc ». Je pars pour acquérir un important lot de plats, tasses et sujets divers d'une beauté et d'une finesse incomparables.

On m'a décrit des vases rehaussés de pivoines en fleur aux innombrables pétales et autour desquels s'enroulent des dragons à longue queue et aux multiples pattes. Le seul problème, voyez-vous, c'est que la traversée des océans soumet ses chefs-d'œuvre à de grands périls : les tempêtes qui les brisent, les pirates qui les volent...

— Moi, je peux venir avec vous, me proposa soudain Sophie.

— Vous n'y pensez pas ! m'insurgeai-je. La route est longue jusqu'en Saxe, et je m'en voudrais de vous éloigner de votre famille et de votre pays alors que rien ne vous y oblige.

— Si, répliqua-t-elle d'un air buté : l'amitié.

Je la regardai avec émotion. Sentant que je fléchissais, elle ajouta :

— Être dame de compagnie de Mme d'Aulnoy ne me convient pas. Les conversations de salon m'ennuient. J'aime bouger, voyager, voir des pays...

J'essayai de la dissuader :

— Ce n'est pas en bougeant que vous garantirez votre établissement. Les hommes n'aiment point les demoiselles trop indépendantes. Mme de Maintenon nous l'a répété cent fois à Saint-Cyr.

— Et qui vous parle de mariage ? Je veux vivre ma vie comme je l'entends. Si un homme veut de moi, tant mieux, si aucun ne me veut, cela n'a aucune importance !

— Voilà une demoiselle qui a du tempérament ! assura le chevalier.

— Vous ne condamnez donc point ma conduite ?

— Non. J'apprécie, moi-même, par trop la liberté ; il me paraît normal qu'une demoiselle goûte aussi ce privilège.

— Ah, monsieur, votre bienveillance à mon égard m'est fort agréable, répliqua Sophie dont les pommettes rosirent.

La conversation prenait un ton galant, et je me sentais de trop entre eux deux. Je m'approchai de la fenêtre et fis mine d'être absorbée par ce qui se passait dehors.

Le chevalier prit la main de Sophie et, baissant la voix, lui dit :

— Mademoiselle, je crois bien que je suis épris de vous.

— Oh, monsieur... il est vrai que nous nous ressemblons beaucoup.

— Cependant, puisque la liberté est notre maître mot, je vous laisse la vôtre... mais mon cœur est à vous. Si Dieu le veut, lorsque je reviendrai de la Chine, je vous proposerai l'union de nos deux libertés.

Cette fois, je tendis l'oreille pour écouter la réponse de mon amie.

— Rien ne pouvait me faire plus de plaisir.

Je souris. J'étais heureuse pour elle et j'espérais que le même bonheur m'attendait à Dresde.

— Afin d'être certain que vous voyagerez dans de bonnes conditions, acceptez que je vous offre mon attelage et cette bourse.

— Je vous remercie de votre générosité, monsieur, car nous sommes bien démunies.

Je revins vers eux. Le chevalier tenait toujours la main de Sophie.

— Je crois, mon amie, me dit-elle, qu'il nous faut partir avant le retour de Mme d'Aulnoy. Je regrette de lui fausser ainsi compagnie car c'est une gentille personne, mais nous n'avons pas le choix.

Nous montâmes dans notre chambre préparer rapidement un baluchon. Le chevalier du Ménillet nous installa lui-même dans sa voiture, laissa ses instructions au cocher, et nous quittâmes Nantes.

CHAPITRE

23

Sophie était une compagne agréable, notre voiture confortable, le cocher efficace, et nous pouvions descendre dans de bonnes auberges. De plus, avoir entre les mains le moyen de sauver Johann me rendait d'humeur joyeuse.

Pour passer le temps, j'apprenais à Sophie des rudiments de la langue allemande. Elle était appliquée, et nous jouâmes bientôt à converser en allemand. Ses maladresses occasionnèrent parfois de grands fous rires.

Pourtant, aux portes de Dresde, l'angoisse refit surface. J'ignorais où était enfermé Johann. Comment le retrouver et comment entrer en contact avec lui ? J'avais oublié que j'étais, moi aussi, sans doute recherchée par les gens en armes. Le nouveau prince Auguste II n'avait pas dû apprécier notre fuite, et il voulait sûrement me faire payer cette forfaiture.

— Seigneur ! m'exclamai-je en me blottissant au fond de la calèche, si on m'arrête maintenant, c'en est fini de nous deux !

— Nous allons choisir une auberge discrète, décréta Sophie. Vous demeurerez dans la chambre, et je sortirai seule afin d'obtenir des informations sur Johann.

Ce que nous fîmes. Nous descendîmes à l'hostellerie *Der Goldene Löwe*, et à peine étions-nous arrivées je lui conseillai de se rendre dans le parc du palais pour essayer d'y apercevoir Bertha. Je la lui décrivis du mieux que je pus et elle partit.

Elle revint bredouille.

— C'est que j'ai vu plusieurs servantes qui lui ressemblaient... et il m'est difficile de les aborder sans attirer l'attention... Je ne parle pas très bien la langue.

Le lendemain, je me travestis, une fois encore, en fille du peuple. J'achetai une jupe de laine, un fichu, un chapeau un peu défraîchi et, sans fard aucun, j'accompagnai Sophie, qui avait le même accoutrement que moi.

Dès que je vis sortir une servante des cuisines, je m'approchai :

— Est-ce que je pourrais parler à Bertha ? lui demandai-je.

— Qu'est-ce que tu lui veux, à Bertha ?

— Je suis sa cousine... et elle m'avait parlé d'une place disponible.

Elle me toisa et reprit :

— C'est qu'après ce qui s'est passé, ça m'étonnerait que la Bertha puisse faire engager un membre de sa famille. On se méfie d'elle à présent.

— Ah ? fis-je faussement étonnée. Elle a des soucis ?

— Plus maintenant. Elle a été innocentée, mais enfin, elle... Tiens, justement, la voilà, me dit la servante l'index pointé vers une silhouette portant une cruche sur l'épaule.

Je frémis. J'étais près du but. Je m'avançai en direction de Bertha afin de m'éloigner de la porte de la cuisine, d'où l'on pouvait nous entendre, et je murmurai :

— Bonjour, Bertha.

— Dieu bon ! jura-t-elle avant de reprendre plus bas : Mademoiselle Éléonore... ainsi vous avez pu vous sauver.

— Oui, je reviens de France et...

— Seigneur, fallait pas revenir, surtout pas...

— Si, il le fallait, pour sauver Johann. Où est-il ?

— Il n'est plus au palais. Son laboratoire a été supprimé.

Je poussai un cri et mes jambes flageolèrent. Sans le soutien de Sophie, je me serais sans doute écroulée.

— Pensez-vous qu'il soit... mort ? souffla mon amie.

— Je ne crois pas. Il me semble que son exécution aurait été publique. Le prince aurait saisi l'occasion de montrer à tous la sentence réservée à ceux qui le trahissent. À mon avis, il croupit dans une prison. Mais laquelle ?

— Je dois le retrouver, car je lui apporte le secret de la Pierre philosophale.

— Vous avez le secret ? s'étonna Bertha.

— Oui. Vous devez m'aider. Sans vous, je n'y arriverai jamais !

— Je vais essayer d'obtenir des renseignements... mais je dois être prudente. Il y a des espions partout pour assurer la sécurité de notre prince, et si l'on apprend que j'enquête sur un prisonnier, je risque la corde ! Vous aussi soyez prudente et ne dites jamais que vous détenez le secret de la Pierre philosophale, car certains malandrins n'hésiteraient pas à vous tuer pour vous l'arracher.

J'étais abominablement déçue.

J'avais vaguement espéré qu'Auguste II autoriserait Johann à reprendre ses recherches dans le même laboratoire avec, sans doute, une garde renforcée. Il n'en était rien.

Où était-il ? Dans quelle ville ? Dans quelle prison ? Je n'avais aucun appui, aucun ami en Saxe.

Le découragement m'envahit.

Je serrai le bras de Bertha et lui assurai avec émotion :

— Bertha, je n'ai que vous...

Elle regarda prestement si personne n'avait surpris mon geste, puis me lança avant de s'éloigner :

— Je vous ferai signe dès que j'aurai du nouveau.

— Nous sommes à l'hostellerie *Der Goldene Löwe*, Konrad-stadt strasse. Je vous y attendrai.

Durant huit jours, je ne quittai pas notre chambre.

Plus le temps passait, plus mon angoisse augmentait. Bertha avait-elle oublié sa promesse ? Avait-elle été chassée du palais ? Ou alors la nouvelle était-elle si terrible qu'elle n'osait me l'annoncer ?

Sophie tenta bien de me calmer, de me distraire, de me raisonner, mais elle n'y parvint pas.

Prévoyant le pire, je mangeais à peine et je dormais mal.

Et puis, un jour, sur le coup de deux heures de relevée, un gamin de huit ou dix ans se présenta et nous annonça :

— Bertha, elle veut que vous veniez la voir ce soir après le souper.

— Elle a du nouveau ?

— J'sais pas.

En attendant l'heure fatidique, je tournai dans la pièce comme un ours en cage, me tordant les mains et implorant le Ciel de me soutenir.

— Voyons, il est inutile de vous mettre dans des états pareils ! me recommanda Sophie.

— Oh ! Je voudrais être vieille de quelques heures de plus pour connaître le sort de Johann ! Cette attente est insupportable !

Enfin, la nuit tomba, le cocher nous arrêta à un angle de rue, et c'est à pied que nous nous présentâmes à une porte des communs. Le gamin qui avait été notre messager était assis sur une pierre. En nous reconnaissant, il se leva :

— Suivez-moi, chuchota-t-il. Je vous conduis dans la lingerie, puis je vais prévenir Bertha.

À cette heure tardive, la pièce, éclairée par un faisceau de lune, était vide. Il y régnait une bonne odeur de frais et de propre et, curieusement, cela me détendit un peu. Sophie me prit la main et, malgré le nœud qui me serrait la gorge, je réussis à lui sourire. La porte grinça, s'ouvrit, et l'imposante silhouette de Bertha se glissa sans bruit par l'ouverture.

Ne pouvant plus me contenir, je lâchai aussitôt :

— Savez-vous où il est ?

Elle posa un doigt sur ses lèvres, tendit l'oreille, soupira d'aise et chuchota :

— Oui... mais dame, ça n'a pas été facile.

— Où est-il ? insistai-je.

— À l'Albrechtsburg, une forteresse royale au-dessus de Meissen.

— Meissen ! Le baron et moi y avions fait halte. Ce n'est qu'à environ trois lieues de Dresde. Allons-y !

— À cette heure ? Ce serait folie. Et puis, comme je vous l'ai dit, Albrechtsburg est une forteresse et on n'y entre point comme dans un moulin.

— Comment vais-je faire ? Si je ne peux pas parler à Johann, il... il risque la mort.

— J'ai peut-être une solution...

— Ah, Bertha ! m'exclamai-je avec transport.

— Chut ! gronda-t-elle, vous voulez nous faire prendre ?

J'étais confuse et lui serrai le bras pour m'excuser. Elle reprit :

— Mon oncle Léopold fournit à votre Johann de la terre... Des livres et des livres de terre.

— De la terre ? m'étonnai-je.

— Oui. Pas n'importe laquelle. De la terre argileuse provenant de diverses régions. Je ne sais pas à quoi elle lui sert, mais c'est ainsi. Il voit donc Johann une à deux fois par semaine.

— Comment va-t-il ?

— Je... je l'ignore... ce ne sont pas des choses qui intéressent les hommes. Mais il est prisonnier, ça c'est certain, et guère heureux de son état. J'ai annoncé à mon oncle que vous aviez le secret et il m'a répondu : « Tant mieux, parce que les jours de ce jeune alchimiste sont comptés. S'il n'a pas trouvé l'or avant la fin de ce mois, il est mort. »

Je me retins pour ne pas crier.

— Et... votre oncle va m'aider ? bafouillai-je.

— Oui. Il accepte de vous faire entrer dans l'enceinte du château. Vous vous ferez passer pour son commis. En échange, il vous demandera seulement quelques onces d'or. Puisque vous avez la formule, ce sera facile.

— Quand cela se fera-t-il ?

— Il livre demain. Il vous prendra à six heures devant la Frauenkirche [1].

Je l'étreignis.

— Merci, Bertha, je n'oublierai pas ce que vous avez fait pour moi, et Johann vous récompensera vous aussi.

— Partez vite à présent !

Elle ouvrit la porte, jeta un œil à l'extérieur, nous poussa vers la sortie et s'éloigna dans une autre direction.

---

1. L'église Notre-Dame de Dresde.

24

Après l'euphorie des premiers instants, la tristesse s'empara de Sophie et moi. Nous allions devoir nous séparer.

— Je vous laisse la voiture et le cocher, il serait sage que vous rentriez en France, proposai-je à Sophie.

Elle hésita, puis me dit :

— C'est que... le chevalier du Ménillet doit venir à Dresde vendre des porcelaines de Chine au prince, et il me semble préférable de l'attendre.

Accaparée par mes soucis, les promesses du chevalier m'étaient sorties de l'esprit. Mais Sophie les avait bien en mémoire, elle. Je souris.

— Ah, mon amie, faut-il que je sois préoccupée pour avoir oublié les tendres liens qui vous lient au chevalier ! Vous avez raison de vouloir l'attendre ici. Ainsi, j'ai un peu moins de peine à vous quitter. Dans quelques mois vous serez aussi heureuse que je vais l'être.

Je ne réussis pas à dormir. Je craignais de ne point me réveiller à temps.

Sophie non plus ne dormit pas, et nous passâmes la nuit à bavarder pour essayer de cacher nos angoisses. À cinq heures, vêtue d'un costume d'homme défraîchi que j'avais acheté chez un fripier en quittant Bertha, je sortis de l'auberge. Malgré nos résolutions, c'est en larmes que Sophie et moi nous séparâmes.

— Que Dieu soit avec vous ! dit-elle avant de refermer la porte.

— Et que la Vierge vous protège ! lui répondis-je avant de baisser sur mes yeux le large rebord du chapeau que j'avais enfoncé sur mon crâne pour cacher ma chevelure.

L'intervention du Ciel ne serait point de trop pour assurer la réussite de nos entreprises.

Je marchai rapidement, rasant les murs, prête à me fondre dans l'ombre d'une porte si j'entendais des bruits de pas.

J'arrivai sans encombre devant l'église, où j'aperçus une charrette couverte d'une bâche dont le cocher semblait assoupi sur le siège. Lorsque je fus à sa hauteur, il murmura, comme s'il parlait à son cheval :

— Johann ?

— Oui.

— Montez !

Il ne me tendit pas la main et c'est avec difficulté que je me hissai sur le siège à côté de lui.

Il claqua de la langue. Le cheval se mit au trot. L'homme garda le silence jusqu'à ce que nous fussions sortis de la ville, puis, sans quitter son animal des yeux, il grommela :

— Faudra pas parler, à cause de l'accent. J'dirai qu'vous êtes muet. Ici, c'est un atout.

— Je vous remercie, monsieur.

— Les mercis, ça suffira pas. J'risque ma place et même ma vie, alors il m'faudra de l'or pour récompense. Mais puisque votre Johann va bientôt en fabriquer, j'espère que vous m'oublierez pas.

— Non, soyez-en certain.

Lorsque la forteresse apparut au détour du chemin, je n'en crus pas mes yeux. Perchée sur un rocher, et entourée sur trois côtés par l'Elbe, elle avait quelque chose d'angoissant, même si ses six étages, ornés de meneaux, de gargouilles et de pignons, lui donnaient une allure de palais de conte de fées.

— Bon, à partir de maintenant, silence ! m'ordonna l'oncle de Bertha avant de traverser le pont.

Il salua les deux gardes postés devant le pont. Il devait bien les connaître car ils ne s'étonnèrent pas de ma présence.

Une lourde porte protégeait l'entrée de l'enceinte. L'oncle de Bertha annonça à deux autres gardes la livraison et, me désignant d'un mouvement de tête, il expliqua :

— J'ai plus vingt ans et les sacs sont lourds, alors j'ai engagé ce garçon. Et comme il est muet, il me saoule pas avec ses bavardages !

Les gardes éclatèrent de rire et nous laissèrent pénétrer dans un vaste enclos formé par les murs du château, ceux de bâtiments médiévaux et ceux de la cathédrale. Mais, à part des gens en armes postés un peu partout, il ne semblait pas y avoir âme qui vive dans ces lieux sinistres.

— Votre Johann, il est enfermé dans la tour nord. Toutes les fenêtres ont été murées avec des briques. On lui a fait construire vingt-quatre fours et je lui livre de la glaise deux fois par semaine. Il en fait venir de toutes les provinces de Saxe. C'est curieux. J'ai jamais entendu dire qu'il fallait de la terre pour fabriquer de l'or... mais après tout, c'est son problème.

Le savoir si proche me fit trembler comme une feuille. « Et si on m'arrêtait maintenant, songeai-je, avant que je ne puisse le voir ? Ce serait trop horrible. » Je me recroquevillai sur le banc pour qu'on ne me remarquât pas.

— C'est le bon moment, m'assura bientôt l'oncle de Bertha. Je prends un sac sur le dos, vous en prenez un autre et vous me suivez. Et n'oubliez pas : vous êtes muet !

J'attrapai un sac de terre dont le poids me fit tituber. Je serrai les dents, bandant toutes mes forces pour ne pas m'écrouler. Nous traversâmes la cour et nous nous engageâmes dans un escalier en colimaçon, précédés par un garde qui nous ouvrait les portes. Je priai Dieu qu'il me donne de la force. Le sac me brisait le cou et me coupait la respiration. Si je tombais, mon identité serait découverte, et l'oncle de Bertha et moi étions perdus.

Le garde fit tourner une lourde clef dans l'énorme serrure d'une lourde porte. La pièce dans laquelle nous pénétrâmes était sombre, une chaleur à peine soutenable y régnait. Les fenêtres étaient effectivement murées, la lumière provenait de la gueule béante d'un four et de plusieurs chandelles plantées ici et là dans des blocs de glaise. Aussitôt, je cherchai Johann. Je vis d'abord deux hommes qui s'activaient autour du four, deux autres étaient dans le fond de la pièce. Johann n'y était point et je me sentis défaillir. Nous avait-on trompés ? Johann avait-il été transféré dans un autre lieu ? Était-il souffrant ? Mort peut-être ? Je lançai un regard éperdu en direction de mon guide, mais il ne le vit point car il conversait avec le garde.

Soudain, une porte basse s'ouvrit et il parut. Il me sembla que le soleil illuminait la pièce. J'avais envie de rire, de chanter, de me jeter dans ses bras, mais, pour qu'aucun signe ne nous trahît, je continuai à baisser la tête sous mon chapeau.

— Ah ! s'écria-t-il en me voyant, voici le commis que le prince m'a promis ! Hérold n'a pas supporté l'enfermement et la chaleur, il est mort la semaine dernière.

— Oui, enchaîna l'oncle de Bertha. Et celui-là a un avantage sérieux, il est muet. Ainsi, il ne divulguera le secret à personne, lorsque vous l'aurez enfin trouvé.

— Oh, le secret... souffla-t-il d'un ton las.

— Je vous livre encore deux sacs, ajouta l'oncle de Bertha.

— Non, merci, ce n'est plus la peine... cette glaise ne convient pas. J'ai demandé à ce qu'on m'en fasse livrer d'une autre province.

— Dans ce cas, je m'en vais.

Il me frôla en sortant de la pièce et me chuchota à l'oreille :

— Vous me devez une once d'or. N'oubliez pas, sinon je vous dénonce.

Dès que le garde eut refermé la porte à double tour, j'ôtai mon chapeau, savourant à l'avance la joie que Johann et moi allions partager.

— Seigneur ! s'écria-t-il. Est-ce que je rêve ?

— Non, Johann, c'est bien moi !

En une fraction de seconde, je fus dans ses bras. Il me berça doucement en murmurant :

— Oh, j'ai tant et tant prié pour que nous nous revoyions... mais je ne pensais pas que ce serait dans un lieu si terrible !

La première minute de stupeur passée, les commis quittèrent discrètement la pièce.

— Le lieu m'importe peu, puisque je suis avec vous.

— Vous n'auriez pas dû venir. Maintenant vous êtes prisonnière car le prince ne laisse jamais sortir vivants ceux qui ont travaillé avec moi. Il a trop peur que le secret de la transmutation soit communiqué à des puissances ennemies.

— Parce que vous l'avez enfin trouvé ? m'exclamai-je pleine d'espoir.

— Hélas non, mais je...

Je lui coupai la parole et, fouillant dans l'échancrure de mon corset, j'en extirpai le parchemin du chevalier du Ménillet.

— Voici le texte qui vous permettra de réussir la transmutation.

— Ma mie ! s'enthousiasma-t-il, comment l'avez-vous eu ?

— Ce serait trop long à vous conter.

Il le lut, mais, contrairement à ce que je pensais, son visage ne s'éclaira pas d'un sourire heureux et il ne poussa aucun cri de victoire.

— N'est-ce pas ce que vous attendiez ? m'inquiétai-je.

— Si. Mais ce texte est codé et je n'en saisis pas tous les symboles.

— Voulez-vous dire que... que j'ai fait tout cela pour... pour rien ?

Les sanglots me secouèrent. Trop de peur, de fatigue, d'espoir... pour n'être pas plus avancée qu'avant mon départ !

Il me cajola et sécha mes larmes de ses baisers.

— Je n'aurais assez de ma vie pour vous remercier de la peine que vous avez prise afin de me sauver. Pour l'heure, je suis une autre piste... tout aussi intéressante que celle de l'or, aussi difficile, mais il me semble que j'y ai plus de chances de réussite.

— Laquelle ?

— La fabrication de la porcelaine.

— On m'a dit que seule la Chine savait la fabriquer.

— C'est juste. Mais si les Chinois y sont parvenus, je dois y parvenir aussi. Depuis votre départ, je cherche dans cette voie. J'ai analysé plusieurs glaises et plusieurs minéraux et j'ai réussi à produire une substance plus dure que la faïence de Delft, mais point translucide. Je ne sais pas encore pourquoi. Peut-être faut-il y mêler des tessons de verre ? On a dit que les Chinois utilisaient une glaise qui avait reposé sous le sol pendant un siècle puis qu'ils y mêlaient des coquilles d'œuf et des carcasses de homard broyées. J'ai essayé... mais le résultat fut décevant. On m'a rapporté qu'en France les potiers de Saint-Cloud utilisaient de la terre, du verre, de la craie et de la chaux pour fabriquer une matière qu'ils ont baptisée « pâte tendre », mais une fois cuite, sa couleur vire au gris et elle est parsemée de défauts noirs.

Il s'échauffait en parlant comme il l'avait fait lorsqu'il m'avait annoncé voici plusieurs mois qu'il allait fabriquer de l'or. Cette nouvelle recherche le passionnait et il aurait pu en parler des heures durant ! Il me parut que le secret de cette porcelaine serait, somme toute, moins difficile à découvrir, parce qu'un autre peuple y était parvenu et que nous en avions des preuves tangibles. Je me souvenais d'avoir vu des vases magnifiques lorsque le prince électeur nous avait reçus en son palais.

L'espoir me rendit le sourire, d'autant que Johann ajouta :

— À présent, le prince veut que je lui fabrique une porcelaine aussi belle, aussi fine, aussi transparente que celle qu'il achète à prix d'or à des marchands venant de la Chine.

— A-t-il renoncé à l'or ?

— Certes non. Je lui laisse croire que je continue activement mes recherches sur ce métal, mais je consacre toutes mes forces à la découverte de la porcelaine. J'espère que si j'en découvre le secret de fabrication, le prince finira par reconnaître que l'« or blanc » vaut bien l'« or jaune ».

— Allez-vous y parvenir ?

— Avec l'aide de Dieu et votre amour qui me donne des ailes, je n'en doute pas !

CHAPITRE
25

Je devins donc son assistante.

Je cachais ma chevelure dans un bonnet et je gardais mon costume masculin. Les commis connaissaient ma véritable identité, mais ils devinrent nos alliés, par admiration pour Johann et amitié pour moi.

Tous les jours, Johann tentait de nouvelles expériences avec de nouvelles terres venant de différentes régions de la Saxe.

— Espérons que celle-ci sera la bonne ! décrétait-il, chaque fois.

Il s'acharnait, mais la pièce obtenue était opaque, ou éclatait à la cuisson, ou encore comportait de trop nombreuses imperfections.

Il fracassait rageusement l'objet contre le mur et s'emportait :

— Je dois y arriver !

Il écrivait consciencieusement sur un cahier les proportions de terre et de verre qu'il avait fait fondre, recommençait l'expérience en changeant les données, mettait dans le four, patientait, espérait et se lamentait :

— Bon Dieu ! Ce n'est pas encore ça !

Je ne savais comment l'aider. Mais je l'encourageais de mon mieux.

— Vous êtes proche du but, je le sens !

— Il me semble que si la terre utilisée est pour une bonne part dans la réussite, la cuisson est tout aussi importante. Nous montons à 1 100 ou 1 400 degrés au maximum, ce n'est sans doute pas suffisant.

Mon instruction religieuse me revint en mémoire ainsi que les paroles des prêtres venus nous faire des sermons pour nous prévenir de l'enfer. J'eus peur tout à coup que Johann, en voulant dépasser les limites humaines, indisposât les puissances de l'enfer et je m'inquiétai :

— Il est impossible d'aller plus haut... ce serait contre nature... et peut-être que Lucifer se vengerait...

— Voyons, me rassura-t-il, ce ne sont là qu'enfantillages... Lucifer ne s'intéresse pas à un petit alchimiste comme moi.

Je fis la moue et priai intérieurement qu'il eût raison.

Peu de temps après, il expérimenta des lentilles ardentes pour cuire plus rapidement ses pièces. Avec une masse, il cassa les briques occultant les fenêtres orientées au sud pour que les rayons du soleil traversent les lentilles. La lumière réfléchie par ce dispositif était très intense.

— Éloignez-vous, me disait-il chaque fois, vous risquez de perdre la vue.

— Mais vous, mon ami...

— Moi, cela n'a pas d'importance parce que je dois trouver... je le dois... sinon ce n'est pas la vue que j'y perdrai, mais la vie !

Hélas, je le savais bien et, après le bonheur de nos retrouvailles, les menaces sur sa vie empoisonnèrent mes jours.

Quelques semaines plus tard, Johann s'emporta :

— Les lentilles ne sont pas assez puissantes ! Il me faut un autre four plus grand, plus puissant ! Je vais en solliciter un auprès du prince.

— Est-ce bien raisonnable d'importuner le prince ? Ne devriez-vous pas plutôt vous faire oublier ?

— Je le devrais sans doute... mais dans ce cas, je ne réussirai pas... et si je ne réussis pas, je suis mort... Voyez vous-même. Il n'y a pas de bonne solution. Je préfère donc tenter ma chance.

Il était toujours aussi impétueux. Mais c'est ce pourquoi je l'aimais.

Enfin, il obtint une audience. Encadré par trois gardes, il quitta la forteresse. Je le regardai partir l'angoisse au cœur et je passai la journée à me morfondre, tantôt faisant les cent pas dans l'atelier, tantôt priant dans un coin. Les commis profitèrent de ce repos pour jouer aux cartes. Ils me proposèrent de me joindre à eux, mais je déclinai l'offre. Je n'avais pas l'esprit au jeu et, l'idée de prendre du bon temps alors que Johann était en fâcheuse posture m'était insupportable. Mille tourments m'assaillaient. J'imaginais différentes scènes : Johann explique ses travaux au prince, qui l'écoute avec attention et le félicite pour ses recherches sur la porcelaine. Le prince, fou de colère parce que Johann n'a toujours pas réussi la transmutation de l'or, le fait enfermer dans un cachot. Johann jure qu'il va fabriquer sous peu la précieuse porcelaine, mais le prince ne le croit pas et ordonne son exécution...

J'étais si nerveuse que j'avais mal partout.

Avec la nuit qui était tombée, la certitude que je ne le reverrais point s'était imposée à moi et j'attendais que l'on vînt me chercher pour me séquestrer dans une sombre prison. Lorsque j'entendis des bruits de pas et des cliquetis d'armes dans l'escalier, je me raidis pour ne pas m'effondrer en sanglots. Je voulais rester digne. Après tout, j'étais innocente et seul mon amour pour Johann était la cause de ma perte.

La porte s'ouvrit et, à la lueur des flambeaux, je le vis, souriant. Je poussai un cri et je me jetai dans ses bras sans me soucier de la réaction des gardes.

— J'ai réussi ! s'exclama-t-il triomphant, le prince s'est engagé à me livrer un four plus puissant !

Dès que les gardes eurent refermé la porte, les commis et moi entourâmes Johann et le pressâmes de questions.

— Où sera-t-il construit ? Ici, il y en a déjà six dont la chaleur est à peine supportable, se plaignit le plus âgé.

— C'est la deuxième bonne nouvelle, reprit Johann, nous déménageons ! Finie la forteresse de l'Albrechtsburg, nous retournons à Dresde ! J'ai promis au prince que bientôt il posséderait des vases plus beaux, plus fins, plus colorés que ceux qu'il fait venir de la Chine et il veut suivre de près mes travaux.

Je reconnaissais bien là la fougue et l'inconscience de Johann. Il promettait, il promettait, comptant sur la science pour le tirer d'embarras.

Mais, pour l'instant, la science ne l'avait jamais tiré d'embarras. Je le lui fis remarquer.

— Ne vous êtes-vous pas engagé un peu légèrement ?

— Je n'avais pas le choix. Le prince insistait pour que je continue à chercher l'arcane de l'or et le seul moyen de le détourner de cette idée était de lui promettre quelque chose d'aussi précieux et d'aussi beau.

— Pensez-vous que nous allons réussir, Monsieur ? s'inquiéta Michaël, le plus jeune.

— J'en suis certain. Vous verrez qu'avec un four plus performant la porcelaine n'aura plus de secret pour nous !

Les commis lancèrent des « vivats » et je me mis au diapason. J'avais besoin de rêver, de croire à un avenir riant. J'avais parfois l'impression d'avoir déjà vécu mille vies et j'aspirais à un bonheur calme.

26

Un mois plus tard, nous découvrîmes les locaux où le prince avait installé un nouveau laboratoire pourvu d'un vaste et puissant four.

Johann avait imaginé que nous serions logés dans une aile du palais, un peu comme si nous avions été des hôtes de marque. Nous déchantâmes lorsque, après avoir traversé, sous bonne escorte, des couloirs voûtés, sombres, humides et malodorants, creusés au bord de l'Elbe sous les fortifications, nous pénétrâmes dans la Jungferbastein, le bastion de Vénus.

— Seigneur, se lamenta un commis, nous voilà dans l'antre du diable ! On dit que c'est ici que l'on torture les suppliciés et qu'après leur trépas le bourreau ouvre une trappe et leur corps tombe directement dans les eaux de l'Elbe.

Je frissonnai.

Johann gronda le pessimiste :

— Ce ne sont que des contes. Le prince veut seulement nous mettre à l'abri des regards indiscrets... Lors de notre entrevue, il m'a confié que le roi de Suède, passionné d'alchimie, avait des espions partout et que s'il apprenait que j'étais sur le point de découvrir le secret de la fabrication de la porcelaine, il chercherait à m'enlever.

— Mon Dieu, murmurai-je, quand donc auronsnous la paix ?

— Bientôt, ma mie, bientôt, m'assura-t-il en me serrant dans ses bras.

Il me semblait que ce moment n'arriverait jamais.

Dès le lendemain, avec une joie enfantine, Johann entreprit de tester le nouveau four. Il fit cuire à différentes températures et pendant des durées variables diverses combinaisons d'argile et de minéraux. Il régnait dans la pièce une chaleur intense ainsi qu'une constante brume due à l'évaporation de l'humidité des parois. Je suffoquais. Je craignais de ne pouvoir supporter longtemps cette atmosphère. Je ne me plaignais pourtant point, pour ne pas entamer l'enthousiasme de Johann. Il en avait besoin pour avancer.

Il avait exigé que l'un de ses assistants pût quitter notre prison pour parcourir la Saxe à la recherche de l'argile qui lui semblerait la plus adéquate. Il m'avait tout d'abord proposé cette mission en me disant :

— Éléonore, ici, vous usez votre santé. Marcher au grand air vous fera du bien. Et maintenant que vous m'avez vu travailler, vous savez quelle sorte de terre m'est nécessaire.

— Oh, non, avais-je protesté, vous quitter une nouvelle fois est au-dessus de mes forces !

— J'ai honte de vous cantonner dans ce lieu infâme et je préférerais vous savoir loin de moi, mais libre et heureuse.

— La liberté m'insupporte si je ne la partage pas avec vous et je ne peux être heureuse que si je suis avec vous.

Je rougis d'avoir osé exposer mes sentiments, mais je rougis encore plus lorsque sous les yeux attendris des commis, il m'embrassa avec passion.

Michaël partit donc avec l'accord du prince... et une escorte chargée de l'assassiner purement et simplement s'il tentait de fuir. Il approvisionna régulièrement Johann avec des argiles qu'il récoltait dans les divers États de la Saxe.

Un jour enfin, alors que plusieurs pièces s'étaient brisées à la cuisson, provoquant des cris de déception et des mouvements de colère, Johann sortit du four avec mille précautions une pièce intacte.

— Regardez ! Regardez ! s'enthousiasma-t-il en brandissant une galette blanche. C'est de l'argile provenant de Colditz que j'ai mélangée avec une sorte d'albâtre provenant de Nordhausen ! La cuisson au grand feu lui a donné cet aspect... ce n'est pas encore de la porcelaine, mais on approche ! On approche ! Il suffit de varier les proportions !

La galette passa de main en main et nous partageâmes sa joie.

Il saisit une feuille sur laquelle il avait inscrit moitié en allemand, moitié en latin les recettes employées, griffonna quelques nouvelles annotations, et nous expliqua :

— Si j'augmente la quantité d'argile et que je diminue celle d'albâtre à raison de huit pour un, et si je porte le temps de cuisson à cinq heures au lieu de quatre, nous y serons... ou presque !

Il forma trois galettes de la préparation, les mit au four, et nous attendîmes, partagés entre l'angoisse qu'elles explosent et l'excitation de la découverte proche. Johann marchait de long en large dans la pièce enfumée, refaisait les calculs, s'approchait du four, le scrutait comme s'il avait pu voir à travers les parois, houspillait ses commis pour qu'ils maintiennent le four à la bonne température.

Afin de ne pas me laisser gagner par l'inquiétude, je m'étais assise dans le coin le plus reculé. De temps en temps, Johann venait à moi et, en quête de réconfort, il me serrait les mains et répétait :

— On va y arriver. J'en suis certain.

Puis il repartait vers le four.

Tout cela dura cinq interminables heures.

Lorsqu'il extirpa la cazette [1] brûlante, nous nous penchâmes sur elle comme nous l'aurions fait au-dessus du berceau d'un enfant princier. J'avais le souffle court tant j'étais impatiente de voir si le miracle s'était produit.

Johann sortit délicatement la galette de sa gangue de terre, l'approcha de la lumière d'une main qui tremblait un peu et s'exclama d'une voix vibrante d'émotion :

— Elle est d'une blancheur et d'une translucidité parfaites !

Aussitôt, les commis se bousculèrent pour vérifier à leur tour et reprirent en riant :

— Vous avez réussi, Monsieur, c'est de la pure et belle porcelaine !

---

1. Étui en terre réfractaire dans lequel on place les porcelaines pour les protéger des flammes.

— Seigneur ! Je n'y croyais plus ! avoua le plus vieux.

— À présent, on est aussi forts que les Chinois ! se vanta Michaël.

Johann ne semblait pas les entendre. Il me serra contre lui et me présenta la galette devant les yeux :

— Regardez, Éléonore... on voit la lumière à travers et pourtant cette pièce est aussi dure et résistante que de l'étain. Grâce à moi, on n'aura plus besoin de faire venir la porcelaine de la Chine, on va la fabriquer en Saxe et les princes du monde entier envieront notre savoir !

— Oh, Johann, je suis si fière de vous !

— Je vais prévenir le prince afin qu'il puisse venir constater lui-même que j'ai réussi.

Quelques jours plus tard, Auguste II pénétra sous les voûtes accompagné de sa garde et de quelques courtisans. Johann, quoique les cheveux roussis par les flammes, le vêtement déchiré, les accueillit comme s'il était lui-même un prince faisant visiter son palais. Plusieurs pièces cuisaient dans le four depuis presque cinq heures. Je demeurai un peu en retrait pour que mon aspect ne me trahît point mais je ne perdis pas une miette de la scène.

Enfin, Johann donna l'ordre d'ouvrir la porte du four. Tout y était chauffé à blanc. Auguste II, suffoqué par la chaleur, jeta un rapide coup d'œil à l'intérieur et se moqua :

— Vous n'allez pas me faire croire qu'il y a de la porcelaine à l'intérieur de cet enfer ?

— Si, Votre Majesté, elle y est, répondit Johann.

Il s'approcha, et, à l'aide d'une pince, sortit une petite théière encore incandescente de sa cazette et la plongea dans un seau d'eau. Une explosion retentit sous la voûte. Nous avions l'habitude. Johann m'avait expliqué qu'il s'agissait là d'une réaction due à la grande différence de température, mais le prince sursauta.

— La voilà brisée ! s'indigna-t-il.

— Non, Votre Majesté, cette épreuve est nécessaire et elle vous prouvera la résistance de ma porcelaine.

Il retroussa alors sa manche, retira le récipient de l'eau et le tendit au prince. Celui-ci, impressionné, mira dans la lumière du foyer la théière d'un blanc immaculé et s'extasia :

— Elle est aussi belle que celle provenant de la Chine.

— C'est bien ce que je vous avais promis, Majesté... Encore quelques mois de travail et je serai à même de créer des couleurs, des décors encore plus beaux que ceux des Orientaux !

Auguste II le félicita chaleureusement puis, semblant s'apercevoir des conditions effroyables dans lesquelles Johann et ses commis travaillaient, il leur annonça :

— À partir de ce jourd'hui, vous aurez un salaire et je vous ferai livrer des vêtements neufs.

Comprenant que sa découverte l'avait fait entrer dans les bonnes grâces du souverain, Johann vint me prendre la main pour me conduire devant le prince, puis, avant que je n'aie pu protester, il ôta mon bonnet et mes longs cheveux se répandirent sur mes épaules. La honte me submergea. J'étais sale, vêtue en homme, ma peau était rougie par la chaleur et ma chevelure dans un état pitoyable. J'aurais voulu disparaître dans un trou de souris !

Pourtant, un coup d'œil me permit de voir l'étonnement du prince et, je crois bien aussi, son admiration. J'avais entendu dire que, comme notre Roi Louis dans sa jeunesse, il collectionnait les conquêtes féminines.

— Votre Majesté, dit Johann en s'inclinant, permettez-moi de vous présenter Éléonore, ma promise. Je vous demande humblement pardon de l'avoir introduite à votre insu dans ce lieu... mais sans ses encouragements et son amour, je n'aurais sans doute jamais réussi.

J'avais plongé dans une profonde révérence et je gardais la tête baissée, craignant sa réaction.

— Eh bien, grogna le prince, vous ne manquez ni d'audace ni d'à-propos, monsieur Böttger, et en plus vous avez fort bon goût car cette jeune personne est le charme personnifié.

J'espérais que le prince n'userait pas de sa puissance pour m'enlever à Johann et faire de moi l'une de ses favorites.

Cette pensée avait à peine effleuré mon esprit qu'il me vint à l'idée de tirer profit de cette situation et, prenant mon courage à deux mains, je prononçai d'une voix suave :

— Si Votre Majesté pouvait avoir la grande bonté de nous octroyer un logement moins insalubre, cela permettrait à Johann de se reposer mieux et d'être encore plus efficace.

Le prince sourit et m'enveloppa d'un regard ardent. Je baissai modestement les yeux.

— Que peut-on refuser à une si charmante demoiselle ? Je vais y réfléchir.

27

Les mois s'écoulèrent et nous étions toujours prisonniers sous les voûtes insalubres des fortifications de Dresde. Je ne montrais pas mon découragement, mais j'avais peur de ne jamais sortir d'ici.

Johann s'accommodait de cette situation car il n'était occupé que par la volonté d'améliorer sa porcelaine, ce qu'il réussissait assez bien. Il s'essayait depuis peu à percer le mystère de la porcelaine bleue produite par les Japonais. Il était toujours aussi enthousiaste et m'annonça un jour :

— Si nous voulons produire plus, il faudrait recruter des potiers, engager un orfèvre pour dessiner les modèles et, surtout, il faudrait créer une manufacture.

Il sollicita une nouvelle audience. Il apporta quatre belles pièces d'un blanc pur ainsi que trois grès rouges fort beaux qu'il avait inventés. Ces grès étaient si durs qu'ils pouvaient être taillés, ciselés et polis jusqu'à ressembler au marbre le plus fin. Johann exposa ses projets. Le prince fut séduit. Il ordonna que l'on recrute un orfèvre, des potiers, et que l'on construise une manufacture à Meissen.

Johann espérait en être le directeur. Il le fut, en quelque sorte... mais sans quitter sa prison, tant le prince craignait qu'il ne fût enlevé ou qu'il ne lui prît l'idée de fuir ou seulement de vendre au plus offrant son précieux secret.

J'étais cruellement déçue.

Le prince avait oublié sa promesse et nous croupissions toujours dans l'humidité et la chaleur.

Bientôt, la fabrique produisit des pièces d'une exceptionnelle finesse : vaisseaux [1] élégants, soucoupes délicates, plats de grande taille, boîtes à épices ou à thé.

— La grande foire de Pâques de Leipzig approche, m'annonça Johann. Les acheteurs de toute l'Europe y viennent en nombre ! Il faut que nous y exposions notre porcelaine. Nous serons les premiers ! Quelle fierté pour notre prince !

— Et pour vous aussi, mon ami !

1. Récipient pour les liquides, vase.

— Certes. Il y a si longtemps que je cherche et que je vis en reclus que je crois bien ne plus connaître la couleur du ciel !

Le prince autorisa Johann à présenter les porcelaines de Meissen à Leipzig, mais il refusa que je l'accompagne, me gardant ainsi en otage pour obliger Johann à regagner sa prison.

Du coup, il hésita à partir. Je l'encourageai.

— Vous-même m'avez assuré que vous rêviez de voir le ciel, alors, mon ami, puisque le prince vous accorde cela, il ne faut point le refuser, outre que vous risquez de le fâcher, vous avez largement mérité ce petit plaisir.

— Vous laisser, ma mie, me fend le cœur.

— Il ne le faut pas. Jouissez pleinement de ces jours de répit...

Il revint heureux et me conta tout en détail :

— Ah, si vous aviez vu le regard admiratif des gens ! Ils n'en revenaient pas de découvrir tant de merveilles ! Les dames se pâmaient presque devant la légèreté et la transparence des tasses pour le chocolat ! Et à l'heure qu'il est, on doit parler de moi dans toutes les cours d'Europe !

Il me prit dans ses bras et me fit tournoyer jusqu'à ce que j'implore grâce.

— Johann ! Quel enfant vous êtes ! me plaignis-je en riant.

Il adopta un visage outragé.

— Eh bien, l'enfant que je suis a une nouvelle capitale à vous apprendre !

— Laquelle ? ripostai-je, intriguée.

— Vous venez de m'offenser, aussi, je ne sais pas si je vais vous la révéler.

— Je vous en prie, le suppliai-je.

— Puisque vous insistez : nous quittons notre infâme cachot ! Le prince m'a annoncé qu'il mettait trois pièces à notre disposition dans une aile du palais.

— Non ?

— Si. « Pour vous montrer que je ne suis point un ingrat », m'a-t-il dit, « et pour le bonheur de votre fiancée », a-t-il ajouté.

— Las, tiendra-t-il sa promesse ? Les grands oublient si vite...

— Nous emménageons demain.

— Vrai ?

— Vrai. Ce n'est point encore la liberté. Nous ne pourrons pas quitter l'enceinte du palais, mais vous aurez des domestiques, une garde-robe correcte et vous pourrez vous promener dans le parc.

Au fur et à mesure qu'il parlait, l'étau qui m'étreignait la poitrine depuis des mois se desserrait. À mon tour j'avais envie de rire et de danser. Je lui pris les deux mains et je l'entraînai dans une sorte de ronde en répétant :

— Vive la porcelaine ! Vive la porcelaine !

Soudain, il s'arrêta et, mettant un genou en terre, il me demanda très cérémonieusement :

— Éléonore d'Aubeterre, voulez-vous devenir ma femme ?

Paralysée par l'émotion, je balbutiai :

— C'est que...

Son visage s'assombrit.

— Je comprendrais très bien que vous refusiez. Je ne suis pas l'époux dont rêve une demoiselle car je ne peux vous offrir ni une situation stable, ni même la liberté...

— Oh, Johann, je me moque de votre situation ! Je... je...

Se méprenant sur mes hésitations dues à un trop-plein d'émotion, il ajouta tristement :

— N'en parlons plus... mais sachez que je vous aime de toute mon âme.

— Moi aussi, Johann...

— Mais alors ?

— ... et mon vœu le plus cher est de devenir votre femme.

Il poussa un cri de victoire et me serra contre lui à m'étouffer.

Je regrettais seulement de ne pas pouvoir organiser une grande fête à laquelle je convierais tous mes proches. J'espérais pourtant que le prince m'autoriserait à écrire à mes parents et à mes amies de Saint-Cyr pour leur apprendre que je n'étais plus avec le vieux baron von Watzdorf mais avec l'homme que j'aimais. J'espérais aussi que le prince se montrerait généreux avec Johann afin que je puisse doter mes sœurs.

Une nouvelle vie allait commencer.

Retrouvez la suite des aventures des Colombes dans :
Un corsaire nommé Henriette

L'illustratrice

Aline Bureau est née à l'Orléans en 1971. Elle a étudié
le graphisme à l'école Estienne puis la gravure aux
Arts décoratifs à Paris. C'est dans l'illustration qu'elle
s'est lancée en travaillant d'abord pour la presse
et la publicité et depuis peu pour l'édition jeunesse.

L'auteur

En un quart de siècle, Anne-Marie Desplat-Duc a publié une quarantaine de romans dont beaucoup ont été primés. Rien de surprenant quand on sait que sa passion est l'écriture et qu'elle y consacre tout son temps. Comme elle aime les enfants, c'est pour eux qu'elle écrit des histoires qui finissent bien. Vous pouvez toutes les découvrir sur son site Internet : **http://a.desplatduc.free.fr**

CHEZ FLAMMARION, ELLE A DÉJÀ PUBLIÉ :

- **Dans la collection « Premiers romans »**
  Les héros du 18 :
  1. *Un mystérieux incendiaire*
  2. *Prisonniers des flammes*
  3. *Déluge sur la ville*
  4. *Les chiens en mission*

- **Dans la collection « Flammarion jeunesse » :**
  - *Le Trésor de Mazan*
  - *Félix Têtedeveau*
  - *Un héros pas comme les autres*
  - *Une formule magicatastrophique*
  - *Ton amie pour la vie*

- **En grands formats :**
  Marie-Anne, fille du roi :
  1. *Premier bal à Versailles*
  2. *Un traître à Versailles*
  3. *Le secret de la lavandière*

  - *L'Enfance du Soleil*

Les Colombes du Roi-Soleil

Des jeunes filles rêvent d'aventure
et de succès. Élevées aux portes
de Versailles, les Colombes du Roi-Soleil
volent vers leur destin...

PARTAGEZ LE DESTIN
DES COLOMBES DU ROI-SOLEIL
AVEC HUIT TOMES
PARUS EN GRAND FORMAT

LES COMÉDIENNES
DE MONSIEUR RACINE

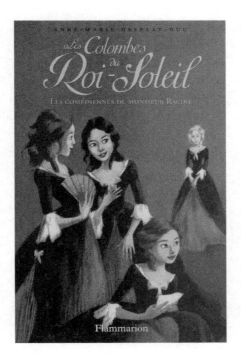

*L*e célèbre M. Racine écrit une pièce de théâtre pour les élèves de Mme de Maintenon, les Colombes du Roi-Soleil. L'occasion idéale pour s'illustrer et, qui sait, être remarquées par le Roi. L'excitation est à son comble parmi les jeunes filles. Y aura-t-il un rôle pour chacune d'entre elles ?

LE SECRET DE LOUISE

*G*râce à ses talents de chanteuse, Louise est remarquée par la Reine d'Angleterre, qui lui demande de devenir sa demoiselle d'honneur. Elle quitte à regret Saint-Cyr et ses amies. Mais, très vite, elle fait des rencontres passionnantes et des découvertes qui vont l'aider à lever le voile sur le mystère qui entoure sa naissance...

CHARLOTTE LA REBELLE

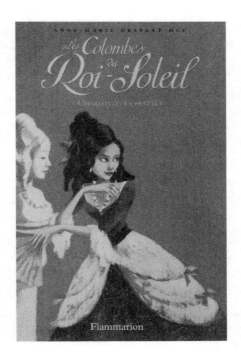

*C*harlotte décide de s'enfuir de Saint-Cyr et de quitter cette existence rangée qui ne lui convient pas. Une nouvelle vie l'attend à la cour de Versailles, une vie de fête, de liberté, de joie. Une découverte vient pourtant troubler son bonheur : son fiancé, François, a disparu. Charlotte ne s'avoue pas vaincue. Elle est prête à tout pour le retrouver !

Le Rêve d'Isabeau

*D*epuis que ses amies ont quitté Saint-Cyr,
Isabeau rêve de réaliser, à son tour, son vœu le plus cher :
devenir maîtresse dans la prestigieuse institution
de Mme de Maintenon. Elle doit, pour cela,
avoir une conduite irréprochable. Or, elle se retrouve,
bien malgré elle, au cœur d'une affaire d'empoisonnement.
Isabeau voit son rêve s'éloigner...

Un corsaire nommé Henriette

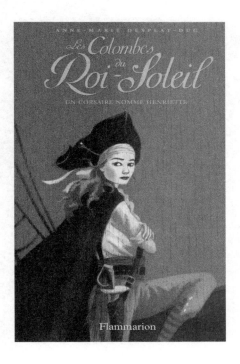

*O*riginaire de Saint-Malo, Henriette est un garçon manqué. Amoureuse du vent et de la mer, elle ne rêve que de bateaux, au grand désespoir de sa mère.

À Saint-Cyr, elle se lie d'amitié avec ses compagnes de fortune, mais elle n'est pas faite pour l'étude, le calme, ni la prière. Elle décide donc de reprendre sa liberté et d'aller au-devant de l'aventure pour réaliser son destin…

GERTRUDE
ET LE NOUVEAU MONDE

$\mathcal{P}$our sauver son amitié avec Anne, Gertrude a commis une lourde faute et purge sa peine en prison. Mais une opportunité s'offre à elle : partir pour le Nouveau Monde. Là-bas, elle espère retrouver enfin la liberté et le bonheur. Pourtant, elle ne se doute pas des obstacles qui jalonneront sa nouvelle existence...

Mise en page par Meta-systems
59100 Roubaix

Imprimé en Espagne par
Black Print CPI Iberica
à Barcelona
en mars 2011

Dépôt légal : juin 2011
N° d'édition : L.01EJEN000672.N001
Loi n° 49-956 du 16 juillet 1949
sur les publications destinées à la jeunesse